"d'un regard l'autre"

Ouvrage publié avec le concours
du Conseil régional d'Auvergne

ISBN : 2 - 912019 - 30 - 3

Journal
de mes Algéries
en France

Bleu autour

Leïla Sebbar

Journal
de mes Algéries
en France

Bleu autour

À la mémoire de mon père

À ma mère,
mon frère et mes sœurs,
à D. et à mes fils

Pour Michelle Perrot

1950, Tlemcen, les Cascades.
De droite à gauche, mes sœurs, Lysel et Danièle, et moi.

Après *Mes Algéries en France**, je poursuis et je poursuivrai encore l'Algérie en France. Prise par un besoin fébrile de mêler l'Algérie à la France, depuis la naissance, presque… L'œil fixé sur l'objet du désir, tendre prédateur, collectionneur fou, tendu vers ce qui s'exhibe et se dérobe, je tente par les mots, la voix, l'image, obstinément, d'abolir ce qui sépare.

* *Mes Algéries en France*,
Carnet de voyages,
préface de Michelle Perrot,
Bleu autour, 2004.

Mars

Anne-Marie Langlois. Le domaine de Léon Langlois, 1896, Tasslemt. Le domaine de Guy Langlois, 1945, Sébaïn-Aïoun, l'utopie humaniste.

Sébaïn,
années 47-50.
Coll. M. Leverrier.

Anne-Marie Langlois. Pour moi, la petite fille blonde dans les blés sans fin, aux marches des Hauts-Plateaux algériens. Avec Ahmed, sa préférence, à Sébaïn-Aïoun dans le Sersou, entre Tiaret et Vialar. « Soixante-dix sources », le domaine agricole paternel créé par Guy Langlois dans les années 40 sur le modèle de Tasslemt, la ferme de Léon Langlois, lui-même ingénieur agronome (1896), fondateur de la jumenterie de Trumelet dans la région de Tiaret. Les pur-sang arabes fournissent tous les dépôts de remonte algériens et les plus belles fantasias. On se déplace à cheval et en carriole, on laboure et on moissonne avec de solides chevaux de trait. L'ingénieur agronome Guy Langlois met sa science au service du domaine agricole qu'il conçoit à la manière des utopistes du siècle précédent. Mais il ne fonde pas une colonie agricole anarchiste, comme Paul Régnier, gendre d'Élisée Reclus, à Tarzout près de Ténès, en 1888. Sébaïn devient un domaine agricole modèle. Domaine céréalier : blé dur et tendre, « Oued-Zenati 368 », le « Langlois 1527 ». On introduit la lentille, un millier de saisonniers participent à la récolte. Les fellahs et les colons de la région profitent de l'aide et du savoir de Guy Langlois. À l'affût des dernières machines américaines, admirateur des inventions technologiques des États-Unis, il investit dans le matériel agricole le plus moderne et le plus sophistiqué : moissonneuses-batteuses *John Deere*, charrue « Cover croop » *Allis Chalmer* à 48 disques qu'il augmente de 48 nouveaux disques fabriqués dans l'atelier de mécanique de la ferme, atelier de soudure électrique et d'usinage, par des ouvriers qu'il a formés. On fabrique, on répare, on remplace... Tout se fait à la

Anne-Marie Langlois à Tasselent,
années 40. Coll. part.

Anne-Marie Langlois
et sa mère,
Le Chenoua
(près de Cherchel),
et à Tasselent,
années 40. Coll. part.

ferme, pour la ferme, ses ouvriers et leurs familles. Dans les habitations, eau courante, électricité, douche, WC. Eau chaude, eau froide pour tous, européens et musulmans. Malgré la mécanisation, la bourrellerie travaille avec à sa tête l'Italien Elmo. Sa femme et ses quatre enfants seront assassinés par le FLN dans sa propre ferme, comme la famille de la ferme cloître. Elmo est devenu fou. Le domaine vit en autarcie.

Dès 1945, une petite mosquée est édifiée à Sébaïn. Guy Langlois loge, nourrit, habille, instruit, soigne les enfants des ouvriers agricoles qu'il rémunère mieux que ses voisins fermiers. Deux puits sont creusés à l'endroit désigné par la mère d'Anne-Marie, sourcière réputée — peut-être un peu magicienne ? — et artiste. Sur le domaine, il construit des écoles, garçons et filles, tabliers bleus pour les garçons, tabliers roses pour les filles (il y aura jusqu'à trois instituteurs), les filles peuvent suivre des cours de cuisine, couture, puériculture au foyer rural, elles peuvent aussi tisser des burnous et des tapis à l'ouvroir. Les adultes qui le souhaitent suivent des cours du soir. Un car scolaire est mis à la disposition des élèves. Une clinique outillée reçoit les malades pour des soins gratuits. Le médecin passe une fois par semaine. En permanence, une infirmière et une assistante sociale. Une ambulance parcourt les douars pour dépister et soigner paludisme, conjonctivite, variole, typhus... La guerre d'Algérie n'a pas freiné l'élan créateur de Guy Langlois, il poursuit ses investissements dans le domaine, mais... Anne-Marie raconte la fin de l'œuvre Langlois, la mort du père. Ce n'est plus l'enfance dans les blés. Ahmed, qu'est-il devenu ? Elle a retrouvé il y a peu Claude Sellier, le directeur de la ferme, il lui a confié ses photos de Sébaïn qu'elle me montre. Oui, Sébaïn a existé. Oui, Sébaïn aux soixante-dix sources était belle et prospère.

En haut, les moissons à Tasselent chez Léon Langlois, grand-père de Anne-Marie, années 30-40. Coll. part.
En bas, les labours à Sébaïn avec une « Cover croop » *Allis Chalmer* 96 disques, années 50-60.
Coll. Claude Sellier.

En haut, la classe de M. Bron, Sébaïn. Coll. Claude Sellier.
En bas, la classe des garçons, quatre épis dorés pour le premier de la classe,
trois pour le second, Sébaïn, 1948. Coll. part.

En haut, ouvriers qualifiés en mécanique avec le directeur
du domaine de Sébaïn, Claude Sellier. Coll. Claude Sellier.
En bas, Sebaïn, années 47-50. Coll. M. Leverrier.

Oui, Sébaïn était généreuse. Je veux le dire et l'affirmer par la voix sereine d'Anne-Marie, la fille du colon, et le bleu très doux de ses yeux. Je veux l'écrire, cet homme-là a entrepris pour lui, sa famille et les Algériens une œuvre bénéfique qu'il aurait souhaité poursuivre en Algérie comme Algérien, de la même langue et de la même terre. Isabelle Eberhardt qui a parfois rêvé d'une ferme idéale aurait été éblouie. On pense à Aurélie Tidjani qui a créé le domaine de Kourdane, plus modeste, qu'elle voulait exemplaire.

Le père d'Anne-Marie est mort avant cette nouvelle utopie algérienne. Peut-être le père de l'écrivain Jean Pélégri, colon, fils de colon dans la Mitidja, est-il mort du chagrin de n'avoir pu, comme Guy Langlois, de n'avoir pu...

Début avril

Le Puy-en-Velay, les coquelicots. Vichy, Montluçon, les deux Jacques et la guerre d'Algérie. Saint-Étienne. Limoges.

Avec l'éditeur du *Carnet de voyages*, nous colportons l'Algérie en France, mes Algéries déplacées, mythologiques et réelles, et nous rencontrons dans les maisons du livre (médiathèques, bibliothèques, librairies...) des voix de la France en Algérie, de l'Algérie en France.

Au Puy-en-Velay, si exotique dans ma mémoire algérienne, je reçois en offrande des coquelicots peints comme je les aime (les cigognes de Tlemcen les foulaient à leurs pattes rouges dans les champs de blé de « la plaine fertile »).

Une jeune femme kabyle née au Puy, l'aînée de sept enfants (elle est belle comme ses ancêtres à l'image), ne connaît pas le pays de ses père et mère qui vivent aujourd'hui dans « la maison du bled ». Elle fabrique des marionnettes pour les enfants des écoles. Elle n'ira pas en Algérie.

À Vichy puis à la librairie *Le Talon d'Achille* à Montluçon, je rencontre d'anciens appelés de la guerre d'Algérie. J'en reparlerai plus loin, plus tard : Jacques Dieu et Jacques Grémillet. Ils seront présents dans « Retour à Aflou par Vichy » (Revue *Jim, Vichy toujours*, n°6, 2004). Le fleuriste socialiste de Montluçon me parle d'un Algérien qui a été résistant dans la région. Avec Patrice et François Colcombet nous avons cherché des tombes musulmanes dans le cimetière. Pas de carré musulman. Une stèle aux soldats coloniaux.

Aquarelle
Sébastien Pignon,
2002.

À Saint-Étienne, j'ai lu les noms des ouvriers nord-africains (aujourd'hui on parle de maghrébins, une épithète post-coloniale) sur les tableaux de la mine. Les petits-enfants — les petites-filles, plus exactement — de ces hommes-là fouillent la mémoire laborieuse de la mine immigrée. Elles écrivent des thèses et des articles, inscrivant, comme d'autres dans la pierre héroïque, le destin des ancêtres sur papier-livre.

À Limoges, une rencontre avec Dany Toubiana. Au salon du livre, une jeune femme feuillette *Mes Algéries...* Elle est la dernière-née d'une famille de huit filles. Le père était fier de ses filles, la mère aurait voulu un fils. Les filles travaillent, elles ont épousé des Algériens, c'est l'orgueil de la mère, sa stratégie matrimoniale a réussi. Sinon des Algériens, des musulmans. La lectrice dit qu'elle ne veut pas se marier. Voir le monde, c'est son désir.

Avril

Illiers-Combray. Proust, la coupole musulmane dans le pré Catelan de l'oncle Jules. Hennaya, les instituteurs, Jeanne d'Arc.

Après trois jours de petite ville marine, avec D., on passe en Eure-et-Loir dans la petite ville d'Illiers-Combray (ainsi baptisée en 1971) où Jules Amiot, un oncle de Proust,

À gauche, Illiers-Combray, avril 2004.
À droite, le pré Catelan de l'oncle de Proust, Illiers-Combray, avril 2004.

École de filles d'Hennaya. Photo du haut, Conchita Gongora, 3ᵉ rang, dernière à gauche ; ma sœur Lysel, 1ᵉʳ rang, 3ᵉ à gauche ; moi, 2ᵉ rang, 3ᵉ à droite. Photo du bas, Laetitia Gongora, sœur de Conchita, 1ᵉʳ rang, 2ᵉ à droite ; ma sœur Lysel et moi, 2ᵉ rang à droite. Coll. part.

Vue aérienne de Hennaya, années 50-60. La tache blanche en haut à gauche :
le stade et l'école « de garçons indigènes », la cave coopérative et,
à gauche, chez Émile Hinsinger et Roland Sanchez. Coll. part.

négociant drapier, a fait construire un jardin exotique vers les années 1850, le pré Catelan, avec séquoias, palmiers, lilas de Perse et une coupole musulmane qui ressemble plus à un pigeonnier qu'à une *kouba*.

Jean-Pierre Péroncel-Hugoz, dans *Le Monde*, rappelle que le mari de tante Léonie s'est souvent rendu en Algérie et qu'il s'amusait à se déguiser en notable musulman. Péroncel-Hugoz signale aussi, dans la maison de tante Léonie où je ne suis pas entrée (les visites guidées de maisons d'écrivains me dépriment, je les évite), un hammam vert et blanc et le cabinet oriental de l'oncle, retour d'Algérie, avec photographies de palmiers, mosquées…, nattes d'alfa et autres orientaleries.

Yvette Ounnas, que j'ai rencontrée à *La Maroquinerie* à Paris, habite une maison de gare près d'Illiers, l'été. Elle m'avait envoyé la coupole du pré Catelan et parlé de son village d'enfance, Hennaya (Eugène-Étienne Hennaya coloniale), de l'école de son père, algérien marié à une Française, institutrice formée à l'école normale d'institutrices de Brioude en Haute-Loire, « l'école de garçons indigènes » où, petite fille, elle avait assisté aux fêtes de Jeanne-d'Arc sur le stade qui jouxtait l'école, là où j'avais entendu les cris des cavaliers arabes et le bruit de la poudre lors de fantasias. Une presque sœur… Mon père avait succédé à son père et ma mère, à la sienne. Une école vouée aux couples mixtes… Aujourd'hui ? Je le saurai l'année prochaine si je vais à Hennaya où je ne suis pas revenue depuis l'enfance.

L'église du village (où je n'allais pas, ni Yvette) organisait chaque année une cérémonie religieuse. Les chrétiens désignés se déguisaient en costume d'époque et organisaient des spectacles de plein air en hommage à Jeanne d'Arc.

Illiers-Combray, avril 2004.

Fin avril

Chenaud. La cigogne. « Mademoiselle Bordas. » L'Algérien du Clos Salembier à la librairie L'Œil au vert.

C'est dimanche. Le téléphone. Surprise. Une lectrice de *Mes Algéries en France*, Caroline Esnard-Benoit, me parle de Chenaud, au bord de la Dronne en Dordogne, de la cigogne et de ma mère, « mademoiselle Bordas ». Je l'interroge sur la cigogne en pierre. Elle va faire l'enquête.

À la librairie *L'Œil au vert,* près du parc Montsouris dans le XIIIe arrondissement, un Algérien vient vers moi : « Vous êtes Leïla Sebbar. Je vous connais. Le Clos Salembier, c'est mon quartier. Je connaissais bien votre père. J'ai vu votre livre et j'ai lu *Je ne parle pas la langue de mon père*. Je sais qui vous êtes. » Il s'en va. Le libraire me dit qu'il vient souvent. Il aime les livres.

À minuit, il téléphone chez moi. Il me tutoie : « Ton père je l'aimais, j'étais comme son fils. Toi tu pouvais apprendre l'arabe dans la rue avec les enfants du quartier, tu ne voulais pas. J'étais dans le bus, tu ne me voyais pas, tu ne me regardais jamais. Tu nous as oubliés. Tu as oublié le pays et nous, les Algériens... »

Chenaud. En haut, la cigogne, été 2004. En bas, la mère de Caroline Esnard-Benoit, années 40. Coll. part.

Il téléphone à nouveau le lendemain matin : « Vous êtes une fille de mon quartier. J'ai lu vos livres. Le Clos Salembier, c'est pas ce que vous dites, mais vous êtes la fille de Mohamed, vous êtes la fille de mon quartier, je vous aime bien. Bonne journée. »

J'ai appris par un ami algérien qu'il est le frère d'un ami de ma sœur Danièle qui n'avait pas quitté l'Algérie en même temps que Lysel et moi. Jusqu'à ce qu'elle aille vivre à la Martinique avec Guy Cabort, un indépendantiste martiniquais ami de Paul Faizant à Novi. Peut-être que je verrai Guy dans le film de Paul si je vais en Algérie à Sidi-Ghilès, ex-Novi.

CHENAUD (Dordogne). — Carrefour du Centre.

CHENAUD (Dordogne). — Le Carrefour.

Début mai

L'enquête de Caroline Esnard-Benoit.

Caroline Esnard-Benoit poursuit l'enquête. Je reçois des lettres et des reproductions de cartes postales de Chenaud, le village de mon enfance française. La mère de Caroline lui a parlé d'un bal de noces en 1937 à Chenaud dans un café, *Chez Monteil*, en face du *Bar de la Cigogne*. C'est elle qui a raconté à sa fille que « mademoiselle Bordas », ma mère, était plus belle que la mariée qui habitait le hameau Bardolet, près du village de la noce. Quant à la cigogne, enquête à suivre.

26 mai

Inauguration à Paris de la place Maurice-Audin. Kouba à Alger. L'enfant Margueritte, futur général, et sa statue transférée à Floing, dans les Ardennes. Aïcha, « petite sauvage errante de la tribu », de Paul et Victor Margueritte.

Non loin de la faculté des sciences de Jussieu, rue des Écoles, Bertrand Delanoë inaugure une jolie place Maurice-Audin. Le mathématicien algérois, militant communiste du PCA, assassiné par l'armée française. Josette Audin est là, près du portrait du jeune savant idéaliste, son mari. Pierre Vidal-Naquet a pris la parole pour rappeler que l'assassin de Maurice Audin a poursuivi sa carrière au sein de l'armée « et il est mort commandeur de la Légion d'honneur, je dis bien d'honneur », rapporte *Le Monde* (samedi 29 mai 2004). Henri Alleg, l'auteur de *La Question* (Minuit, 1958), sera à son tour arrêté. Il était présent ce 26 mai 2004 place Maurice-Audin. C'était en 1957. Josette Audin, mon professeur de mathématiques à Kouba (Alger), malgré le chagrin imprimé pour toujours dans ses grands yeux bruns, m'a fait entendre la langue mathématique.

J'ignorais alors que Kouba, qui deviendra une seigneurie islamiste dans les années 90, avait été le quartier d'enfance du futur général Margueritte, le père de Paul et Victor, les

Mai 2004, inauguration de la place Maurice-Audin à Paris par Bertrand Delanoë.

écrivains. Il a dû jouer au foot avec une balle de chiffon ou une boîte de conserve. Il a huit ans lorsque son père, gendarme, est nommé à Kouba. Le fils apprend l'arabe dans la rue. En 1855, il est chef du bureau arabe de Laghouat. En 1867, il est à Blida. Il a laissé des mémoires sur ses chasses africaines (il fallait des plumes d'autruche à sa femme pour orner ses chapeaux). Il a pratiqué d'autres chasses — à l'homme — avec ses Chasseurs d'Afrique. À Kouba, en 1887, on érige une statue en son honneur. Un village porte son nom. La statue a été transférée dans les Ardennes, à Floing (*Monuments en exil,* de Alain Amato, l'Atlanthrope, 1979). Il a été blessé mortellement avec ses chasseurs algériens sur le plateau de Floing en 1870.

Ses fils, Paul et Victor, nés en Algérie, écrivent ensemble une longue nouvelle, *L'Eau souterraine,* en 1903 (Alain Ruscio, *Amours coloniales, Aventures et fantasmes exotiques, de Claire de Duras à Georges Simenon,* Complexe, 1996). On est à Laghouat, prise en 1851. La révolte des tribus s'achève avec l'incarcération du caïd Si Salem, le père d'Aïcha, « petite sauvage errante de la tribu ». Le caïd se rallie. Après la tente nomade, sa fille découvre la ville de garnison, zouaves, spahis, tirailleurs… Son père l'emmène partout (comme Yeza, d'Aïn Beïda), elle apprend le français. Son père la confie à une famille française à Alger. La pension protestante la métamorphose en « vraie Française ». « Les officiers et leurs femmes étaient à ses yeux l'incarnation d'une société et d'une civilisation supérieures. » Ce qui devait arriver… Le jeune et beau Georges, officier Spahi, blond, les yeux bleus, « un teint de jeune fille »…

Aïcha se convertit, le caïd autorise conversion et mariage en France contre des médailles. On retrouve Aïcha à Paris, Fontainebleau, Versailles. 1880, 82…, jusqu'en 1891. La petite étoile bleue tatouée à son front ne s'effacera jamais.

Fin mai

Kamila, ma cousine de Ténès. Saint-Jacques matamoros.

Au café *Les Éditeurs*, place de l'Odéon, ma cousine de Ténès, Kamila Sefta, me parle de son voyage à Manille et de l'attaché culturel qu'elle a rencontré. Il a été instituteur dans l'école de mon père à Alger, au Clos Salembier. Kamila me parle aussi d'un centre culturel fondé par des jeunes de Ténès où ils archivent des photos historiques de la ville de mon père. Ils en enverront à Kamila ? J'irai à Ténès ?

Mes sœurs, Lysel et Danièle, reviennent de Saint-Jacques-de-Compostelle. Elles m'offrent, pour rire, une carte postale de la statue de saint Jacques que les Espagnols appellent avec ferveur *matamoros*. Une statue guerrière, encore une..., où on le voit à cheval, l'épée à la main, il terrasse les ennemis arabes, les *Moros*, coiffés de turbans musulmans.

Si je retourne en Andalousie, je chercherai les Arabes, les anciens et les nouveaux. Patrice m'a parlé de traces visibles, encore, plus subtiles que les palais et les mosquées, moins officielles.

Fin mai, début juin

La gazette exotique de Chenaud.

Caroline Esnard-Benoit m'écrit : « J'ai des nouvelles de la cigogne. Elle a été construite après la maison, il y a cinquante ou soixante ans. La femme du maçon vit encore à Saint-Michel-Leparon. » C'est Aimé Villepastour qui l'aurait sculptée dans la pierre. Elle me dit aussi que sa mère savait que la mienne quittait la Dronne pour les Hauts-Plateaux algériens. J'apprends que l'oncle de Caroline et sa femme ont émigré à Sousse en Tunisie dans l'une de ces postes surmontées de ces belles lettres de pierre POSTE TÉLÉGRAPHE TÉLÉPHONE (on en voit encore dans certains villages français). J'apprends aussi qu'un habitant de Chenaud (on les appelle Canahoriens, m'a expliqué Janine Pouget, la fille des instituteurs de Chenaud que j'ai rencontrée il y a quelques années) s'est marié aux Antilles et qu'il est revenu avec une nounou. Antillaise ? J'ai su par ailleurs — je poursuis la gazette de Chenaud — que le boulanger Bernard (j'ai l'odeur de son pain au bout de la plume) a adopté une jeune Eurasienne qui vit encore à Chenaud (peut-être la fille d'un militaire qui aurait fait la guerre d'Indochine ?). La gazette exotique de Chenaud…

Début juin

« Mademoiselle » d'Aflou, la lectrice, les bijoux berbères. La Singer *du soldat.*

« Mademoiselle » d'Aflou, l'infirmière intrépide des Hauts-Plateaux, vit aujourd'hui dans la ville marine des palmiers, Hyères. Elle est vieille. Elle dit qu'elle veut mourir, elle est la dernière et Dieu doit l'appeler à Lui. En attendant, une jeune lectrice lit et écrit pour elle qui ne voit plus. C'est ainsi que j'ai reçu une carte postale avec des palmiers, quelques mots de Juliette Grangury tracés à l'aveugle et des fragments de bijoux berbères anciens, du vieil argent noirci cerne un corail rouge éclatant. Un don de celle qui m'a mise au monde à Aflou. Mes sœurs aussi.

Sur les grilles des jardins du Luxembourg, des photos de la Libération de la France et de Paris. Devant un tank à l'arrêt sur une route de campagne, un jeune soldat pique à la machine. C'est une *Singer*, j'en suis convaincue. On est en 1944. Je vais retrouver l'enseigne à Paussac en Dordogne, si la maison d'angle n'est pas démolie. Janine Altounian raconte dans son récit de l'exode arménien

Edit. Boumendil, phot. - Sidi Bel Abbès

3. Sidi-Bel-Abbès (Algérie) - Kermesse 1907. Les Ouvrages. Aux doigts de Fées.   L. R.

COURS DE COUPE
HÉLIANE
ORAN
ALGÉRIE
MAI 47

familial (*Ouvre-moi seulement les chemins d'Arménie*, Belles Lettres, 1990) que la précieuse machine à coudre *Singer* a dû être vendue contre de la nourriture, et l'écrivain cubain Edouardo Manet se rappelle la machine familiale *Singer* de la grand-mère maternelle andalouse. L'outil de travail des familles pauvres et industrieuses.

Mi-juin

Le chibani de La Postale. « Le Zouave. » Les boîtes de tabac à chiquer. Cigognes à Paris et près de Tiaret. Nora Aceval.

Kouba de Sidi Tahar
à Tousnina,
près de Tiaret, 2002.
Coll. part.

*Vieux en arabe.

Rue de Tolbiac, dans un coin de *La Postale* à lui seul réservé, un *chibani** algérien roule une cigarette en buvant un ballon de rouge. Au pied du verre, le paquet jaune « Le Zouave » ZIG-ZAG qu'on trouve encore dans certains tabacs. Le buraliste de *L'Ariel* vend des « Zouave ». Pour combien de temps ? Sur l'une des dernières grilles métalliques à motifs géométriques qui protègent la terre des platanes du boulevard Blanqui, une boîte de tabac à chiquer. Moins émouvante que les anciennes. La carte d'Afrique n'est plus en relief, ni les étoiles latérales, ni les lettres arabes. Au bord de la boîte, les avertissements imposés — « Nuit gravement à la santé » — en quatre langues européennes. Je ne les ramasserai plus. Avec la mort des *chibanis*, elles disparaîtront.

Sur le mur du bureau de poste, à l'angle de la rue d'Ulm, une grande cigogne rouge au pochoir. Je ne suis pas sûre que ce soit une cigogne mais, de l'autre côté du trottoir, c'est une cigogne. Je vais revoir en août celles de la Gonterie et de Chenaud. J'ai photographié les oiseaux migrateurs de la brasserie *Les Cigognes,* boulevard Vincent-Auriol, dans le XIIIᵉ à Paris, et le carré au-dessus :
COUSCOUS - TAGINES - MÉCHOUI - GRILLADES
Il y a sûrement d'autres cafés avec cigognes.

Le père de Nora Aceval, né en 1888, à 20 ans, Oran.
Il sera fermier. Coll. part.

Nora Aceval avec Hadja Kheïza et Hadja Ziania, conteuses.
Tiaret, 2001. Coll. part.

La mère de Nora Aceval, de la tribu des Sidi Khaled, née en 1928,
avec ses fils Ferdinand, Alias et Charles, en 1952. Coll. part.

En haut, enfants nomades après la circoncision. Tiaret, été 2003. Coll. part.
En bas, après les moissons, autour de Tiaret, été 2003. Coll. part.

Nora Aceval revient de Tiaret, non loin d'Aflou, où elle collecte les derniers contes des Hauts-Plateaux. Elle publie bientôt *Contes du Djebel Amour* (Seuil 2005). Au *Sélect* où nous bavardons, Nora me raconte en riant (ce beau rire généreux de sa mère nomade) les pérégrinations d'un prince à la recherche de la science des femmes — ruses et secrets — des contes licencieux. Nora me dit : « Les cigognes sont revenues. Je les ai vues près de Tiaret, à Sougueur et à la Jumenterie », la fameuse jumenterie fondée par l'aïeul d'Anne-Marie Langlois existe donc toujours. Anne-Marie pourra la voir l'année prochaine en Algérie ? Le pays natal. Nora dit aussi : « Partout des coquelicots. »

Début juillet

La lettre de Timour. Excideuil. La statue du maréchal Bugeaud. Le traité de la Tafna. « 1954 », de Benjamin Stora, dans Le Monde. *Ferhat Abbas. Les instituteurs juifs de Turquie « civilisent » les Juifs de la campagne marocaine. La croix au Maroc années 30, à Villeurbanne années 2000.*

D'un ami, Timour Muhidine (de père turc, il a grandi dans le pays de sa mère, le Nord Pas-de-Calais, il raconte son enfance dans *Le Nord cru*, L'Esprit des péninsules, 2003), je reçois une lettre d'Excideuil en Dordogne. Sait-il que c'est le village natal du maréchal Bugeaud ? Bugeaud, maréchal, duc d'Isly, après la signature du traité de la Tafna avec l'émir Abd el-Kader, lui réclame de l'argent pour les chemins vicinaux d'Excideuil... C'est à Excideuil, comme le raconte Alain Amato dans *Monuments en exil*, que la statue de Bugeaud est transférée depuis Alger. En 1852, la statue avait été inaugurée et cinq familles algériennes détenues avec l'émir au château d'Amboise, libérées.

Je lis dans *Le Monde* la série « Algérie, été 1954 » de Benjamin Stora (on a entendu dans *Mes Algéries en France, Carnet de voyages*, sa mère Marthe Stora parler de sa ville,

Sétif, extrait de carte postale. Coll. part.

Carte postale.
« Jeune fille juive. »
Coll. part.

Constantine, de son père qu'elle a passionnément admiré, de ses sœurs et de la couturière de France, de l'exode désespérant dont elle a surmonté pour Benjamin et Annie les effets désastreux). Benjamin poursuit en historien sa recherche de l'Algérie et suscite des vocations historiennes chez les jeunes chercheurs algériens et français en collaboration avec Mohammed Harbi (*La Guerre d'Algérie*, 1954-1962, *La Fin de l'amnésie*, Laffont, 2004). Une histoire qui doit être enseignée aux enfants des immigrations post-coloniales pour les garder vivants et libres. Le portrait de Ferhat Abbas — né à Sétif, il deviendra président du GPRA (Gouvernement provisoire de la révolution algérienne) de 1958 à 1961 — me fait penser à mon père qui n'a pas choisi la carrière politique mais qui préconisait la séparation du religieux et du politique en républicain musulman laïque qu'il a été, comme le célèbre Sétifien et nombre d'instituteurs « indigènes ».

Ces instituteurs me rappellent les instituteurs juifs turcs francophones envoyés au Maroc dans le bled pour instruire, en français, les enfants juifs illettrés. Henri Nahum raconte cette épopée dans « Les Séfarades du Maghreb » (n° 18-19, 2004, de la revue *Cahier d'études maghrébines*, de Lucette Heller-Goldenberg, de l'université de Cologne). En 1920-1930, le kémalisme turquise l'enseignement, les écoles de l'Alliance israélite universelle qui enseignent en français doivent fermer. Au Maroc, où des écoles de l'Alliance existent depuis 1862, les instituteurs turcs, formés en France, partiront en mission dans l'Atlas pour « civiliser » une population indigène juive « arriérée ». On entend le même discours dans l'Algérie coloniale et tous les pays de l'Empire.

Une anecdote intéressante à laquelle fait écho aujourd'hui ce que me raconte une enseignante de français dans un collège de Villeurbanne dans la banlieue lyonnaise. Au Maroc, une

46. - SÉTIF. - Au Village Nègre

Colllection Idéale P. S.

En haut, la famille de Benjamin Stora (Zaoui) devant les ruines romaines de Timgad, juin 1936. Coll. part.
En bas, Sétif, ville natale de Ferhat Abbas, extraits de cartes postales. Coll. part.

institutrice écrit le signe mathématique + au tableau ; « une croix, c'est un péché, madame », protestent ses élèves juifs, on est dans les années 30. En France, en 2004, le professeur dessine le signe + pour la mort d'un écrivain ; ses élèves musulmans refusent d'utiliser le sigle dans leurs cahiers.

8 juillet

Porte Dorée. Le grand projet pour la mémoire immigrée. L'association Génériques. *La nouvelle Marianne postale.*

Porte Dorée à Paris. L'ancien musée des Arts africains et océaniens (ex-musée des Colonies), vidé de ses œuvres d'art (seul l'aquarium restera, ni les poissons ni les soigneurs ne sont des objets d'art intéressants pour le futur musée des Arts premiers à Bercy), deviendra le musée vivant des immigrations. C'est Toubon qui en est le maître d'œuvre. Driss-El-Yazami, un ami du journal *Sans Frontière,* fait partie du comité de réflexion, il dirige avec Saïd Bouziri l'association *Génériques* qui travaille depuis plusieurs années à la mémoire des immigrations. Ce musée aurait eu sa place dans l'ambitieux projet de l'île Seguin. On détruit l'usine, et la mémoire des *chibanis* d'aujourd'hui, jeunes ouvriers de l'automobile française dans les années 50, 60, 70…, sera effacée de ce territoire industriel parisien promis à l'art officiel contemporain.

L'Assemblée nationale a exposé les dessins de la Marianne postale. Aucune ne me plaît. Et celle que Jacques Chirac a choisie est bien niaiseuse, comme diraient les Québécois. Les représentations de Marianne, depuis la première en 1792 « sous les traits d'une femme vêtue à l'antique, debout, surmontée du bonnet phrygien ou bonnet de la liberté », comme l'a préconisé l'abbé Grégoire (*Les Fées de la République,* de Jean-Michel Renault, Les Créations du Pélican/Vilo, 2004), se dégradent. Après les starlettes pour modèles des bustes munici-

La Marianne de la salle du conseil municipal de Commentry (Allier),
« première commune au monde », comme écrit sur une plaque,
à s'être dotée, en 1882, d'une municipalité socialiste. Peinture de Marc Saint-Saëns, 1939.

paux, les maires de France ont choisi l'animatrice de
« C'est mon choix », une émission indigne d'une chaîne
publique. Une Marianne d'or 2004 a été attribuée au
Conseil général des Alpes-Maritimes pour son contrat de
plan départemental. Avec la Vierge Marie, Marianne la
Républicaine reste la figure la plus célèbre, la plus glori-
fiée, la plus instrumentalisée.

21 juillet

*Femmes sur cartes postales de Arezki Benouchène, de la bibliothèque Forney, de Lynne Thornton,
de Jean-Pierre Allali.*

Extrait
de carte postale.
Femmes
mauresques.
Coll. part.

Arezki Bénouchène s'attarde au stand Auvergne au salon
du livre de Paris. C'est le mois de mars. Il feuillette *Mes
Algéries en France*. On bavarde. Il collectionne les cartes
postales coloniales algériennes, moi aussi. Il me les montrera.

Au *Raspail vert* en juillet, je regarde ses femmes. Je
reconnais les femmes de Geiser, les favorites de Malek
Alloula (*Belles Algériennes*, Marval, 2001). J'attends
celles de Sadek Messikh, un collectionneur algérien qui a
travaillé avec Leyla Belkaïd. Retour en France des
familles d'immigrés, les vols Alger-Paris sont saturés. Je
le verrai en septembre avec ses femmes sur papier carton.
Je vais retrouver des modèles que j'aime. Avec Patrice
Rötig à la bibliothèque Forney, c'était au mois de juin, je
crois, on a regardé les femmes des colonies pour un
prochain livre. On a presque le même œil. Jusqu'en
Indochine et aux Antilles, à Madagascar et au Japon, mais
le Japon n'a pas appartenu à l'Empire français. Il y aura
peut-être des « Madame Chrysanthème » vietna-
miennes… On a vu aussi la belle collection africaine de
Lynne Thornton et les juives tunisiennes de Jean-Pierre
Allali. La folie collectionneuse de Jean-Michel Belorgey
nous gagne… Depuis que je les vois sur cartes postales,
jeunes et belles, je cherche jusque dans le peuple de Babel

mes sœurs étrangères si semblables à leurs aïeules, les unes dans les studios des photographes, les autres dans le métro parisien. Les historiens français s'intéressent enfin à l'iconographie coloniale. Après de multiples publications de collectionneurs amateurs et nostalgiques, l'Université, retardataire, s'avise de l'existence massive de l'image de séduction et de propagande impériale, républicaine, colonialiste.

Fin juillet

Randja Ben Ferhat m'envoie une photo de la classe de filles de ma mère à Aflou.

Une belle photographie des élèves de la classe de ma mère à Aflou, juives, musulmanes, chrétiennes, de huit à douze ou treize ans. C'est Randja Ben Ferhat qui me l'envoie de la part de son père. Il m'en avait parlé à mon passage à Lodève et la voici, agrandie, sur ma table, au milieu des cigognes éparses. Avec la photo, le magazine *Vivre en Lodévois* et l'annonce de lectures de poèmes (chaque année Lodève invite des poètes, plus nombreux que les habitants eux-mêmes, bientôt Lodève sera une ville de poètes). Randja est, elle aussi, poétesse. Lodève entendra les vers de la fille et petite-fille d'Aflou. Randja appartient à une famille de Bachaghas d'Aflou, de père en fils. Haddek Ben Ferhat qui a connu mon père m'envoie bientôt des photos d'Aflou. Sur l'une d'elles, Juliette Grandgury, « Mademoiselle », avec des amies musulmanes.

Juliette Grandgury avec une fille de la famille Tahari. Coll. Haddek Ben Ferhat.

Ma sœur Lysel m'envoie une photographie d'école républicaine, une école de Nanterre sur la RN 13, briques rouges et pierre blanche, toit de tuiles. Au milieu, en médaillon, R/F de part et d'autre de l'écusson de la ville ; au-dessous, hautes lettres en relief, PAX LABOR. J'ai photographié de nombreuses écoles de la Troisième République en France, je n'ai pas vu ces mots latins au fronton.

À gauche, Haddek Ben Ferhat, le père de Randja, Aflou, 1958.
À droite, l'Agha Daho Daho, Aflou. En bas, la dépouille de l'arrière-grand-mère de Randja,
le Bachagha Benfatima, Benelmouaz, 1960. Coll. Haddek Ben Ferhat.

En haut, la classe de Madeleine Marchal, école de garçons, Aflou, 1937-1938.
En bas, la classe de filles de ma mère, Aflou, années 40.
Coll. Haddek Ben Ferhat.

Ouarda, d'Aflou, exilée dans une petite ville française comme d'autres femmes de harkis, tissera pour Versailles. Alain Vircondelet écrit *La Tisserande du Roi-Soleil* (Flammarion, 1992). Ouarda parle à Pierre et le pays abandonné habite Lodève (la ville n'est pas nommée mais c'est Lodève, je l'ai reconnue) pour toujours, jusqu'à sa mort.

26 juillet

Bourg-Lastic. Yann et la famille algérienne.

Une lettre manuscrite au feutre bleu outremer de Yann Scioldo-Zürcher qui m'écrivait en mai pour me raconter la famille algérienne de Bourg-Lastic, son village d'enfance, sa fascination pour les trois sœurs de Mounir, élèves comme lui dans l'école du village, sa surprise devant les tombes anonymes marquées par des sortes de « volets en bois découpés et arrondis ». Il apprendra plus tard qu'il s'agit des tombes d'enfants de harkis morts après le voyage de l'exode infâmant. J'enverrai *Mes Algéries en France* à l'une des trois sœurs, comme promis à Yann. À mon prochain voyage en Auvergne, avec Patrice, j'irai à Bourg-Lastic. Deux des sœurs vivent encore au village, leur mère aussi.

Début août

Bardolet près de Chenaud. Saint-Michel-Leparon et sa cigogne. Saint-Barthélémy-de-Bellegarde, la maison forestière, l'école bleue, le soldat mort en Afrique du Nord. La Singer *de Paussac, de la colonie et de René Depestre, poète haïtien. Allouma, de Maupassant.*

La carte de la Dordogne dépliée sur la grande table à la Gonterie (à 7 kilomètres de Brantôme). Ma mère et ma sœur Lysel penchées sur les lettres majuscules. Je ne participe pas à l'opération. J'aime les cartes géographiques pour elles-mêmes, sans l'impératif de l'itinéraire, du kilométrage, de la route la meilleure. Elles cherchent, autour de Chenaud où nous allons rituellement chaque été, le lieu-dit Bardolet (qu'elles ne trouvent pas, il faudra téléphoner à la mairie de Chenaud) et le village Saint-Michel-Leparon (sur la carte, Saint-Michel n'est pas accolé à Leparon). Tout cela pour un « caprice », le mien, un de plus : une improbable cigogne signalée par Caroline Esnard-Benoit. Un prétexte à promenade et pèlerinage, on passera par Saint-Barthélemy-de-Bellegarde où le père de ma mère a été garde forestier dans une maison de maître que nous verrons, ma mère bavardera avec le nouveau propriétaire, ils évoqueront le squelette qui avait terrifié ma mère enfant (la maison était habitée par un médecin) et le registre des visites de campagne qu'il avait tenu des années durant. C'est la région de la Double où Eugène le Roy fait vivre Jacquou le Croquant, une région insalubre où la tuberculose a sévi longtemps. Les sanatoriums seraient devenus des « maisons de santé », euphémisme pour hôpitaux psychiatriques. Je photographie l'école, ses volets bleu ciel, ses lettres capitales dorées RF, de part et d'autre d'un œil de bœuf inscrit dans un demi-cercle sur le toit de tuiles rondes, et le monument aux morts des deux guerres. Sur le socle, une plaque en marbre gravée de lettres d'or : AFRIQUE DU NORD – GRAS MARCEL. Ma mère et ma sœur patientent elles font semblant de croire que je travaille à la mémoire familiale et m'accordent le temps d'une pellicule.

L'école de Saint-Barthélémy de Bellegarde (Dordogne), août 2004.

Ainsi lorsque nous cherchons Bardolet, près de Chenaud, avant la cigogne. Une belle maison sur la colline. C'est moi qui me trompe, le bal de noces n'a pas eu lieu à Bardolet mais à Chenaud dans un café qui n'existe plus. C'est la mariée, celle qui était moins belle que ma mère, qui habitait Bardolet. Nous arrivons à Chenaud. La cigogne au-dessus de l'ancien café se dresse, vaillante, ses plumes sculptées comme des écailles dans la pierre. Je voudrais rougir son bec, pas seulement à l'image. Le mur se lézarde mais l'oiseau migrateur, qui a peut-être survolé la Mecque

Contigny (Allier),
novembre 2004.

avant de se reposer en Dordogne, veille sur mon père, non loin, à l'ombre du figuier.

À Saint-Michel-Leparon, nous cherchons l'autre cigogne. En vain. La curiosité de ma mère qui n'entreprend rien sans l'intention de mener l'opération jusqu'au bout : elle interroge des joueurs de cartes sur une terrasse, c'est l'heure sacrée de l'apéritif, elle réussit à entraîner le couple jusqu'à une maison au bout du village, il y aurait une cigogne, on l'a aperçue, on ne la voit pas de la route, si on entre dans le jardin peut-être… Le villageois marche en tête, traverse le chemin de terre, pas de clôture, la maison est fermée. Sur la cheminée, au milieu du toit, une cigogne, blanche, le bec blanc, les ailes noires, debout. Elle participe au décor animalier du jardin où les bêtes font office de « nains de jardin » : une grue cendrée dans les broussailles, un lion assis plus loin… La propriétaire ? Une Alsacienne « rapatriée » d'Algérie ? À la Gonterie, la cigogne de Guitou n'est plus habillée des drapeaux français et européen. Grise, abandonnée, on la voit à peine.

À Paussac, une fois de plus, je photographie l'enseigne de la *Singer*. Elle disparaît sous la vigne grimpante. La silhouette de la couturière et les lettres pâlissent. Rue Myrha, à Barbès, *Darousalam Couture* va disparaître. La devanture est murée. La *Singer* a habité les maisons musulmanes de la colonie, remplaçant souvent le métier à tisser. Elle a été l'objet de convoitise des mères et des filles qui constituaient ainsi le trousseau du mariage, celui des voisines et cousines, et un pécule pour acquérir les nouveaux fétiches modernes : une TSF, un lit européen, une armoire à glace, une commode, un réveil…

Guy de Maupassant, après ses voyages en Algérie, écrit en 1889 *Allouma*, une nouvelle (*Amours coloniales*) qui se passe sur les Hauts-Plateaux algériens. Un colon français, grand, jeune, blond, aussi beau que Georges, l'officier des

spahis, raconte son histoire. Son domestique lui a fourni une
« femme des sables », « on trouve toujours, même dans les
tribus, des indigènes complaisants qui pensent aux nuits des
Roumi ». Le maître découvre dans sa chambre une belle
endormie sur un tapis rouge et noir du Djebel Amour.
L'odalisque offerte, c'est Allouma, fille d'un caïd et d'une
nomade enlevée à une tribu touareg. Le colon envoûté mais
pas amoureux — « On n'aime point les filles de ce continent
primitif… Elles sont trop près de l'animalité… » — offre à
Allouma, qui la réclame, une belle armoire à glace en acajou
qu'il fait venir de Miliana. Allouma est heureuse, mais…

C'est en relisant *La Femme au temps des colonies* (de
Yvonne Knibiehler et Régine Goutalier, Stock, 1985), cet été
à la Gonterie, que les vers de René Depestre, poète haïtien,
m'ont surprise, je les avais oubliés :

« Une machine *Singer* dans un foyer nègre,

Arabe, indien, malais, chinois, annamite

ou dans n'importe quelle maison sans boussole du tiers-monde.

La machine *Singer* domptait les tigres,

La machine *Singer* comptait les serpents,

Elle bravait paludismes et cyclones

Et cousait des feuilles à notre nudité… »

Les filles de ces femmes habiles à la *Singer*, certaines
exilées sous les tentes trop chaudes ou trop froides du
plateau du Larzac, ont retrouvé les gestes de la mécanique
couturière pour habiller les enfants petits.

6 août

Profanations de cimetières musulmans, juifs et chrétiens.

Après plusieurs profanations de tombes juives et musulmanes dans l'est de la France, à nouveau des croix gammées
et des signes nazis (au cimetière militaire de Cronenbourg
dans le Bas-Rhin) sur des stèles musulmanes. Déjà, au mois

de juin, la nécropole nationale de Haguenau a été vandalisée, des tombes musulmanes des soldats de l'armée d'Afrique ont été maculées de rouge. Les roses rouges plantées au pied des stèles au Chemin des Dames seront peut-être saccagées ? Comment peut-on haïr au point de s'attaquer à des signes de pierre comme à des vivants, pour les tuer une deuxième fois, ou leurs descendants, indésirables sur la terre de France que des ancêtres africains et nord-africains ont défendue et libérée ?

15 août

Le débarquement en Provence. Jacques Chirac distribue des médailles. Les tirailleurs de Philippe Séguin. Tirailleurs de pierre, Mostaganem – Montpellier. Le Turco de la commune. Kadour et Katel, *d'Alphonse Daudet.*

Chez moi, Paris XIIIᵉ, août 2004.

À l'écran, solennels et dignes, je vois surgir les frères, cousins, oncles ou neveux des soldats de l'armée d'Afrique et de l'armée coloniale, morts pour la France, tirailleurs, goumiers, spahis, zouaves, ceux qui reposent dans les cimetières militaires que j'ai arpentés des années durant. Au nom de la République française, Jacques Chirac les décore de la Légion d'honneur, ils sont chevaliers, vingt-et-un vétérans. Les autres, les survivants morts avant la cérémonie de ce 15 août 2004, ne laisseront pas à leurs descendants, enfermé dans une boîte en fer, le ruban rouge de l'honneur. Soixante ans pour leur rendre hommage. Soixante ans pour leur promettre une pension décente (pour que la mère patrie ne soit plus l'« amère patrie… »). Soixante ans pour que leurs petits-enfants nés en France apprennent qu'ils ont été des héros. Ils devront savoir aussi, si l'histoire officielle veut bien en faire état, que l'armée d'Afrique a participé aux conquêtes coloniales et qu'elle a combattu en Indochine contre les indépendantistes, en Algérie contre les émeutiers du 8 mai 1945 et les indépendantistes (même si certains militaires algériens sont passés au FLN pendant la guerre de libération).

Ce jour du 15 août 2004, il y avait à Toulon les chéchias rouges du 1er Régiment de tirailleurs stationné à Épinal. Je n'ai pas vu leur mascotte, le bélier El-Messaoud, « le chanceux », qui vit dans une cabane à son nom (en lettres arabes). Le dernier régiment a été dissout à Épinal en 1964. C'est Philippe Séguin (dont le père, tirailleur tunisien, est mort au combat en 1944) qui a obtenu leur résurrection en 1994. Ils portent la tenue traditionnelle (*Libération*, 14 août 2002). Il y avait à Mostaganem un monument aux morts dédié aux tirailleurs algériens. En 1842, le bataillon turc de l'ancien Bey de Mostaganem devient le bataillon des tirailleurs indigènes de la province d'Oran, les *Turcos* (*Monuments en exil*). On retrouve ce mot-là dans les récits africains de Maupassant et d'autres écrivains voyageurs pour désigner les tirailleurs algériens. Alain Amato rappelle que le monument a échappé de peu à la destruction en 1962. Les tirailleurs de pierre habitent désormais Montpellier et les tirailleurs de chair, les romans coloniaux. Alphonse Daudet fait lui aussi le voyage en Algérie. Il écrit *Le Turco de la Commune*, où Kadour est fusillé par les Versaillais, et, en 1872, *Kadour et Katel*, une brève nouvelle (*Amours coloniales*) où le tirailleur algérien, blessé en Alsace, s'appelle Kadour. Il est fils de caïd, sergent-major. Une famille alsacienne le recueille, le soigne. Les tresses blondes et les yeux bleus de Katel sont irrésistibles. Le « bon Turco » aime la jolie Katel. Elle aussi ? On ne le saura pas.

Lyautey a insisté pour que les soldats d'Afrique musulmans morts pour la France en 14-18 aient une mosquée. Ce sera la mosquée de Paris.

Deux expositions, « Nos libérateurs », en leur honneur cette année : l'une à Toulon organisée par Grégoire Georges-Picot, l'autre à Marseille, par l'Amicale du groupe Marat, à la bibliothèque municipale du Merlan.

17 août

À Sète, une stèle aux instituteurs d'Algérie. Monuments : Tlemcen – Saint-Aygulf ; Tlemcen – Verdun. Photographies d'Aflou, de Jacques Dieu. Jacques Grémillet à Saïda.

Je reçois ce matin de Mireille et Leïla la photographie d'une stèle érigée à Sète. Elle aurait pu figurer dans mon *Carnet de voyages*. Le bord de la pierre dessine la côte algérienne. Oran. Alger. Constantine. En voici l'inscription :

SE SOUVENIR TOUJOURS, 1830–1962

À LA MÉMOIRE DE TOUS LES ENSEIGNANTS D'ALGÉRIE

NOTAMMENT LES MILLIERS D'INSTITUTEURS ET INSTRUCTEURS

QUI CONSACRÈRENT LEUR VIE ET SOUVENT LA SACRIFIÈRENT

AU SERVICE DE LA FRANCE. TAMANRASSET.

Et les institutrices dont parlent si souvent les écrivains algériens qui sont allés à l'école française de la colonie ?

Il y a quelques années j'aurais trouvé risibles, grotesques, réactionnaires ce souci de la commémoration, cette quête des traces pétrifiées de l'Algérie coloniale et des guerres patriotiques menées par la France et son Empire. Je comprends tardivement que le travail mémoriel permet de suturer ce que des violences meurtrières ont produit et que la remémoration historienne, individuelle ou collective, est nécessaire pour que la vie ne s'arrête pas au désespoir et à la mélancolie. C'est ainsi que je poursuis ce travail de deuil et de survie.

Justement, j'apprends dans *Monuments en exil* qu'un monument aux morts de Tlemcen, représentant une « victoire ailée brandissant un glaive et entraînant deux soldats : un poilu et un tirailleur indigène », a été transféré en 1964 à Saint-Aygulf, dans le Var. J'irai le voir et je demanderai à ma mère si elle se rappelle cette victoire, le poilu et l'indigène tirailleur. Je suis peut-être passée sous les ailes victorieuses, petite fille à Tlemcen, lorsque nous allions avec mon père acheter des gâteaux, les figues en pâte d'amande, à la meilleure pâtisserie de la ville… Je retrouve à l'instant une

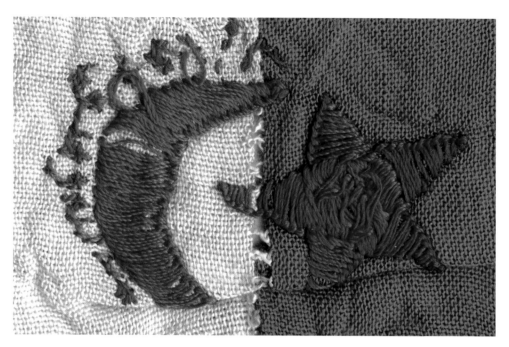

Le drapeau algérien brodé de Jacques Dieu.
« Un groupe de nomades », carte postale. Coll. Jacques Dieu.

carte postale ancienne (parmi celles que j'achète d'une brocante l'autre à travers la France). Une statue équestre, à Tlemcen, dédiée au 2ᵉ Chasseurs d'Afrique, acteur principal de la conquête, édifiée près de la porte de Fez entre Médersa et Caisse d'Épargne (sur la carte postale on peut lire CAISSE D'ÉPARGNE, on ne voit pas la Médersa). Le cavalier se serait emparé « d'un étendard d'Abd el-Kader lors du combat de la Macta, le 28 juin 1835 » (*Monuments en exil*). En 1967, il est transféré à Verdun. Peut-être a-t-il vue sur une Caisse d'Épargne ? De Médersa, point.

Jacques Dieu, que j'ai rencontré à la médiathèque de Vichy, m'envoie un CD de photos et de cartes postales de ma ville natale, Aflou (ainsi qu'une lettre : lire en anaexe). En 1961, il était jeune appelé dans cette bourgade des hauts plateaux oranais où Isabelle Eberhardt est passée à cheval au début du siècle dernier. Il a aimé ce pays qu'il découvrait et les Algériens qu'il devait combattre. Parmi les photos, un morceau de tissu brodé (par quelle jeune nationaliste ?) : le drapeau algérien vert et rouge. « Ce tissu m'a été remis par un prisonnier algérien qui était détenu à la prison d'Aflou, comme moi (Jacques Dieu avait été puni pour insubordination). En me le confiant, il me précisa qu'il pourrait me sauver la vie en cas d'arrestation. »

Fin août

Pierre Zaragozi. L'Espagne côté père, l'imprimerie, la librairie Zaragozi à Blida. Gide, Jean-Daniel. La France côté mère, l'atelier de couture, le collège de garçons, la classe de mathématiques à Blida.

Paris. Je vais chez Pierre Zaragozi, avenue Gambetta. Pierre le blidéen. J'aime sa façon de parler de sa ville natale, de l'Algérie, des Algériens. Chrétiens, musulmans, juifs. Avec finesse et générosité. La librairie de son père, la librairie *Zaragozi*, qui ne la connaissait ? Mon père et ma mère m'en ont parlé. Jean Daniel raconte sa découverte de Gide et des *Nourritures terrestres*, où l'écrivain fait l'éloge de Blida, grâce à François Zaragozi dont la librairie devient un petit cénacle

(*Librairies corps et âmes*, Vinci, 1994). Le père arrive en Algérie à l'âge de trois ans depuis l'Espagne (Altea, près d'Alicante où il est né en 1893). Sa mère est veuve, comme la mère de Camus, elle fait des ménages pour élever ses enfants. Son fils va à l'école jusqu'au certificat d'études puis en apprentissage à l'imprimerie Mauguin où il apprend à composer en français et en arabe. Il parle aussi espagnol. (Pierre apprendra l'arabe par la volonté de son père au collège de Blida.) Francisco Zaragozi s'engage dans la légion en 1914, il participe à la guerre sur le front turc et acquiert la nationalité française. Il est libraire et imprimeur à Blida jusqu'à sa mort en 1963. L'imprimerie sera réquisitionnée contre rémunération par le FLN qui en a besoin pour préparer le référendum d'autodétermination. Pierre garde la carte d'électrice de sa mère (en septembre 1962, on élit les députés de la première chambre de l'Algérie indépendante). François Zaragozi voulait transmettre son imprimerie, le travail d'une vie, à ses fils Guy et Jean. Aujourd'hui encore, la librairie *Zaragozi* est une librairie.

Côté mère. Elle est la première et la seule femme à être admise au collège de garçons de Blida en classe de mathématiques (1923-1924). Marguerite Marmonier, c'est la France par le père, lyonnais, la mère est née en Algérie d'un père nantais et d'une mère dauphinoise, lingère (la légende familiale raconte que le Facteur Cheval était son cousin, il serait lui-même passé à Blida). La grand-mère de Marguerite crée un atelier de couture et travaille avec ses filles pour les Dames de Blida. Pierre se rappelle une très vieille *Singer*. Marguerite s'exile à Lunel dans l'Hérault en 1963. Les enfants suivent. Guy, l'un des frères de Pierre, gardien de but du Football-Club Blidéen, a joué dans l'équipe algérienne. Pierre, qui avait peu voyagé en Algérie, a découvert Tlemcen, l'ouest algérien, les Hauts-Plateaux, le Sud… dans les années Boumédienne. Blida habite sa maison. Une très belle aquarelle vert et bleu du bois sacré est là depuis que je le connais.

Marguerite Marmonier-Zaragozi, la mère de Pierre, en costume traditionnel de Blida, années 20. Coll. part.

Altelier de couture à Blida, 1904, 1905.
La mère de Pierre, enfant. Quatre générations de femmes. Coll. Pierre Zaragozi.

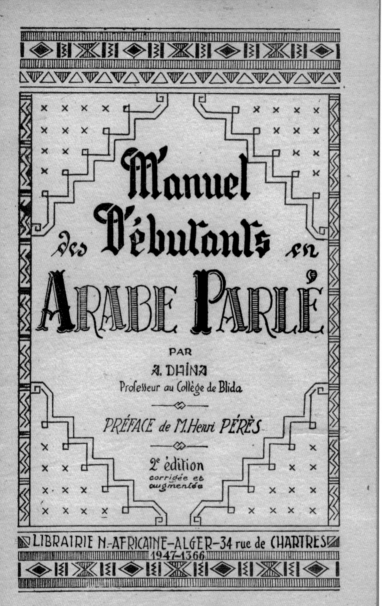

Manuel des Débutants en Arabe Parlé

PAR

A. DHINA

Professeur au Collège de Blida

PRÉFACE de M. Henri PÉRÈS

2e édition
corrigée et
augmentée

LIBRAIRIE N.-AFRICAINE-ALGER-34 rue de CHARTRES
1947-1366

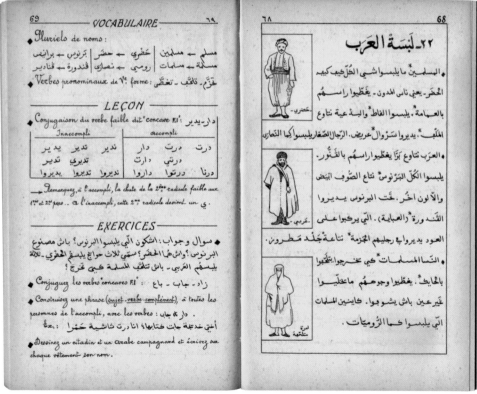

En haut, le collège de Blida, extrait de carte postale.
En bas et page de gauche, le livre d'arabe de Pierre Zaragozi. Coll. part.

Fin août, début septembre

Avec René Lugand dans les cimetières de Saint-Germain-en-Laye et de Le-Mesnil-le-Roi. Jacques Lugand, officier de spahis, mort en Algérie le 2 mars 1957. L'Islam de France, Islam des Lumières ? Les jeunes filles au hijeb.

Saint-Germain-en-Laye, carré militaire, août 2004.

Aux « Matins de France Culture », j'avais évoqué les tombes musulmanes des cimetières militaires dont j'ai photographié des stèles qui figurent dans mon *Carnet de voyages*. Un auditeur me téléphone pour m'annoncer qu'il existe des tombes musulmanes dans le cimetière municipal de Saint-Germain-en-Laye et de Le-Mesnil-le-Roi. Il fait lui-même une recension des tombes militaires des deux guerres pour un site internet, « Memorial-Genweb ». Nous prenons rendez-vous.

Au cimetière de Saint-Germain, un carré militaire, tombes musulmanes et chrétiennes de 14-18, comme j'en ai vu dans tous les cimetières militaires, de la Meuse à la Somme. René Lugand photographie les stèles musulmanes pour le site, un travail exhaustif qui n'est pas le mien. Au fond du cimetière, des stèles muettes, regroupées. Arrondies comme les stèles musulmanes, elles ne disent rien. Seize, alignées deux par deux. Cénotaphes anonymes. À la demande d'associations qui souhaitaient regrouper les tirailleurs nord-africains ? Parce que d'autres sépultures étaient nécessaires ? Mystère. Elles sont là, à l'écart, droites, vaillantes, propres. René Lugand se renseignera.

Près de Saint-Germain, à Le-Mesnil-le-Roy, au bout de l'allée civile, le monument aux morts de la « Grande Guerre », à sa droite des stèles musulmanes petites et blanches joliment taillées, à gauche les croix, blanches elles aussi, sur fond de cyprès noirs, peut-être des ifs, non, des cyprès. Parmi les tirailleurs, un seul spahi. Des soldats qui avaient séjourné à l'hôpital auxiliaire de Saint-Germain comme FATOMA DEMBÉLÉ (voir en annexe).

René Lugand me raconte la bataille de la Horgne dans les Ardennes où 600 spahis algériens, marocains, français ont été tués le 15 mai 1940, anéantis par des blindés allemands. Les spahis étaient à cheval. Un mémorial national a été érigé en 1950 en leur honneur. Comme au Chemin des Dames, les tombes sont plantées de rosiers rouges en pleine terre.

Le père de René Lugand est mort au combat le 2 mars 1957, en Algérie, officier du 5ᵉ régiment de spahis algériens, 3ᵉ escadron, comme le rapporte le compte rendu militaire détaillé (voir en annexe). René Lugand recherche encore aujourd'hui la sépulture de son père, le spahi Jacques Lugand. La veille, il a découvert des tombes musulmanes dans le cimetière municipal d'Auxerre. Il poursuit son travail mémorial. À Saint-Germain-en-Laye, une belle école normale d'instituteurs devenue IUFM. À l'intérieur, un monument à la mémoire des instituteurs morts pour la France. Je ne le verrai pas. On sonne. Personne. La prochaine fois. Si je ne me lasse pas de cette quête funèbre qui ne concerne aucun homme de la famille de mon père.

Le père et les oncles de ma mère ont fait les deux guerres mais la légende militaire familiale n'existe pas. Si elle existe, je ne l'ai jamais entendue. Pas non plus de récit de résistance familiale en Dordogne. Alors pourquoi cette persévérance de ma part, quand les uns et les autres s'en moquent ? Parce que, peut-être, je vois, je crois voir dans ces morts glorieux et oubliés (je parle des deux guerres mondiales, excluant les guerres de conquête, de colonisation et de décolonisation, auxquelles l'armée d'Afrique a largement participé) les ancêtres de ceux qui, aujourd'hui en France, donnent corps et sens à la République et à ses valeurs. Caduques ?

En prenant position pour la libération des journalistes français pris en otage en Irak, l'Islam de France fait preuve de son républicanisme et d'une exception française musulmane qui pourrait être l'avant-garde d'un mouvement critique et démocratique dans le monde arabo-musulman. Un nouveau siècle des Lumières ?

Une prière, vendredi 3 septembre, a été organisée à la Mosquée de Paris pour Georges Malbrunot, Christian Chesnot et leur chauffeur. Ce même jour, à la Courneuve, où il y a plus de vingt ans Fatima* bavardait avec ses amies algériennes dans un square de la cité (elle n'allait pas à la mosquée qui n'existait pas, elle était musulmane tout simplement), jeunes gens et jeunes filles en hijeb (séparés par un claustra dans la mosquée) ont écouté le sermon de l'imam et ont suivi son appel à une prière nationale pour « les frères journalistes français ». Par ailleurs, les jeunes filles au *hijeb* ont accepté d'être semblables à leurs condisciples sans *hijeb* (sauf en Alsace), conscientes peut-être qu'elles seront les bénéficiaires de l'école laïque française.

Début septembre

Samia Messaoudi, mémoire vivante. Zoos humains. *« Villages indigènes », exhibitions dans les expositions coloniales. Aïcha la Parisienne, les joies de l'exposition 1889.*

* *Fatima ou les Algériennes au square*, roman de l'auteur (Stock, 1981).

Les Anémones Café, non loin de Beur FM. J'attends Samia Messaoudi, fondatrice en 1981 de Radio Beur avec Nacer Kettane, Rachid Kimoume... Près de la lumière, quatre femmes bavardent. J'entends : « Kippour... Israël... Strasbourg... Sylvette... Cassette du mariage d'une cousine... » Samia s'assoit : « C'est mes amies Feujes, elles sont là à partir de seize heures, toute l'après-midi, comme à Belleville dans certains cafés. » Avec Nacer, Mehdi Lallaoui..., Samia appartient à ces transmetteurs de mémoire dont les enfants et petits-enfants de toutes les immigrations ont besoin pour tenir l'équilibre. Samia participe à la Marche des Beurs en 1983. Elle travaille avec l'éditeur Mehdi Lallaoui (Au nom de la mémoire). Son père, militant à la Fédération de France du FLN, n'a pas occulté cette journée du 17 octobre 1961, il en parle à ses enfants, à Samia, l'héritière d'une histoire qu'il faut faire reconnaître. Elle milite pour les droits des femmes immigrées.

Sa grand-mère lui a appris le kabyle, elle fait valoir la culture kabyle, fidèle à ses père et mère (*Paroles Kabyles*, Albin Michel, 2002 ; *Cuisine Kabyle*, Edisud, 2005).

Samia me raconte que sa sœur jumelle Soraya et elle (nées à Levallois-Perret) ont tenté d'apprendre l'arabe à la MJC de Levallois, mais elle a préféré la chorale. Aujourd'hui elle chante chez *Les Motivés*, un groupe de Toulouse qui a créé une chorale où on privilégie les chants de lutte, de résistance… En français, italien, espagnol, kabyle. Bientôt en yiddish et en arabe. Samia parle vite, beaucoup à dire et à vivre. Samia aime son père, la justice et les fêtes.

À la librairie *Tschann*, boulevard Montparnasse, j'achète pour ma mère un roman que Caroline Esnard-Benoit m'a signalé, *Les Cinq filles du Grand-Barrail*, de Geneviève Callerot (De Borée). La saga familiale de métayers, en Dordogne. Je le lirai à la Gonterie. Un titre m'intrigue parmi ces « romans et récits du terroir » : *La Maison d'école*, de Josette Boudou, l'histoire d'une institutrice au lendemain de la guerre de 1914. M'intrigue aussi le nom d'un romancier : Aucouturier. Le nom de jeune fille de Marguerite Derrida, la femme de Jacques Derrida (je les ai connus à Alger, la ville natale de Jacques). J'ai une photo de Jacques et de son fils Pierre, enfant, aux Rassats, la maison familiale du père de Marguerite, en Charente. Un cousin Aucouturier ? Un beau nom, si français.

J'achète aussi ce matin-là un livre collectif réédité à La Découverte (Poche, 2004), *Zoos humains. Au temps des exhibitions humaines*, une somme passionnante sur l'ima-

Samia Messaoudi et, à droite, sa sœur jumelle Soraya, Levallois-Perret, 1961. Coll. part.
Famille de Samia Messaoudi (debout derrière son père ; à sa gauche, Soraya). Photo Joss Dray.

ginaire colonial dans les métropoles impériales et dans les colonies. Des analyses fines, intelligentes sur la production de stéréotypes raciaux et racistes à partir d'exhibitions ethniques dans des parcs zoologiques et des « villages indigènes » en Europe et en Amérique au XIXᵉ siècle (avec justifications scientifiques, anthropologiques…). Ce qui a renforcé auprès du public le projet d'expansion coloniale.

Les auteurs insistent sur la fabrication de l'« indigène » des colonies, primitif, sauvage, barbare, à civiliser. La guerre américaine en Afghanistan puis en Irak, en ce début du troisième millénaire, donne l'occasion aux idéologues occidentaux de fabriquer le nouveau *barbare oriental et musulman*. Celui qu'on pense civilisable aujourd'hui, celui auquel on offre généreusement la démocratie à coups de bombardements de haute technologie (avec morts de civils, hommes, femmes et enfants, mais ils ne comptent pas, on ne les comptabilise pas, ce sont des suspects, des activistes sinon des terroristes). Ce nouveau barbare pratique attentats, enlèvements. L'égorgement et la décapitation qu'il impose en spectacle au monde. Il tue. Les bombes ne tuent pas, elles démocratisent. Qu'on se rappelle, il n'y a pas si longtemps, les résistants algériens proprement guillotinés, décapités par la France. Les bombes civilisées sur des civils et des suspects irakiens résistants. (Les mêmes scènes se déroulent impunément en Tchétchénie où Poutine et sa soldatesque civilisent les barbares « au cul noir », au Tibet où la Chine cherche à éradiquer la culture en sinisant le pays, au Moyen-Orient où Sharon exécute avec chars et missiles les Palestiniens dont Israël colonise la terre depuis plus d'un demi-siècle.) Ces meurtres programmés de corps, d'âmes et de terres fabriquent non pas des démocrates mais des islamistes poussés à l'extrême (on les appelle "fanatiques", "extrémistes", "terroristes"), redoutables parce qu'ils sont prêts (prêtes) à mourir pour leur cause avec les moyens cruels et irréguliers des pauvres qui refusent la domination et l'occupation militaires coloniales.

On pensait avoir assisté à la décolonisation définitive de continents entiers, on devient spectateurs de nouvelles formes de colonisation, plus pernicieuses, plus sophistiquées.

Gilles Boëtsch souligne le passage de l'exposition de « types » raciaux à l'exposition de « types » agents militaires ou économiques prélevés dans l'empire français. À Marseille, l'Exposition coloniale de 1922 propose une collection ethnico-militaire : « Artilleur martiniquais, spahi algérien, tirailleur marocain, supplétif kabyle, auxiliaire tunisien, tirailleur malgache… » Le maréchal Lyautey, commissaire général de l'Exposition de 1931, encourage les spectacles et les exercices athlétiques des troupes indigènes qui prouvent au public français « la valeur physique et morale » du « perfectionnement des races ». On peut aujourd'hui penser que les sportifs de haut niveau, médiatisés dans le monde entier, sont en majorité les descendants de ces « indigènes » des expositions coloniales. On les exhibe sur les écrans pour leurs vertus athlétiques, leur beauté nègre, on les achète parce qu'ils feront gagner une équipe nationale européenne défaillante. On peut aussi croire que ces sportifs blacks-blancs-beurs sont l'emblème d'une nation plurielle. On veut le croire devant la hargne et la rage des nostalgiques de l'empire colonial et des ultranationalistes.

Dana S. Hale (*Zoos humains*) rappelle les mises en scène de l'« indigène » lors de ces multiples exhibitions, depuis l'Exposition de 1889 à Paris jusqu'à celles de Marseille (1922), Strasbourg (1924)… et dans bien d'autres villes françaises et européennes. Elle signale une pratique originale à l'Exposition de 1900 : l'école publique en plein air

Samia Messaoudi, 1996.
Photo : Joss Dray.

sous les yeux des visiteurs. Jules Charles-Roux, délégué des sections coloniales, autorise l'Alliance française et l'école Berlitz à donner des cours de langue française aux « indigènes » parqués dans les villages ethniques. En 1931, la Ligue pour l'instruction des illettrés donne aussi des cours de langue aux soldats africains. Le public, nombreux, assiste ainsi en direct à la mission civilisatrice de la France.

Les incontournables Ouled-Naïls du Djebel Amour algérien danseront lors d'une exhibition humaine organisée l'été 1909 boulevard de Clichy par le *Journal des voyages.* Aïcha, la petite fille sauvage à la calotte de cuir rouge (*L'Eau souterraine,* des frères Marguerite), devenue française et parisienne par son mariage avec l'officier de spahis français, accourt à l'Exposition de 1889. Son père, le grand Bachagha de Laghouat, est à la tête de la représentation algérienne en habit de cérémonie. Le chef arabe allié obtiendra la plaque de grand officier... Aïcha se promène dans l'exposition, rue du Caire, avec une « joie sans mélange », avide de pâtisseries, sucreries, danse du ventre, du foulard et du sabre. Elle s'attendrit devant les petits ânes gris aux grandes oreilles. Cet Orient de fantaisie l'enchante. Parisienne, elle assiste à « un spectacle original et divertissant ». Aïcha ne sait pas que l'autre Aïcha, primitive au « sang barbare », tuera en elle la Française. En même temps que les fameuses danseuses, vantées dans les guides touristiques, les Parisiens avides de ces divertissements zoologiques découvrent les Touaregs voilés, armés...

J'ai pensé qu'il manquait aux *Zoos humains* des images. Elles sont dans le livre que j'ai retrouvé avec les autres « Découvertes » Gallimard : *De l'indigène à l'immigré,* de Pascal Blanchard et Nicolas Bancel. Une iconographie riche et éloquente. Comme dans *Le Paris noir* (Hazan, 2001) et le *Paris arabe* (La Découverte, Génériques, ACHAC), *Le Paris Asie* (La Découverte, 2004).

Le Maroc Illustré

Au Camp Sénégalais
La future Armée noire

Schmitt frères, photo, Rabat

Carte postale.
Coll. part.

11 septembre

Françoise Lott au Musée de la vie romantique pour George Sand, à Aix-en-Provence pour les femmes de l'empire français sur cartes postales. « Zidane, il est fini. »

« Algérie.
Bédouine du Sud. »
Extrait de carte
postale. Coll. part.

Au Musée de la vie romantique, à Paris, je retrouve Françoise Lott, une amie des années Gif-sur-Yvette. Elle vient de lire *Consuelo*, je relis *Indiana* : George Sand vivante et joyeuse, ogresse, présente à travers objets, bijoux, bibelots, tableaux, aquarelles... La maison et le petit jardin auraient pu être peints par Berthe Morisot. Nous bavardons sur le banc vert. Françoise, qui habite Aix-en-Provence, est allée voir pour moi aux Archives d'Outre-Mer les femmes « indigènes » de l'empire français sur cartes postales. Elle me dit son malaise, c'était le mien, mais ces femmes sont, comme mes ancêtres, les aïeules de mon père, elles appartiennent à la mémoire des peuples de l'ancien empire, aujourd'hui libres de leur destin, pas toujours heureux.

Devant l'école de la rue Wurtz, dans le XIIIe, où mes fils échangeaient les portraits des champions de l'équipe de France. Je me rappelle Rocheteau (j'ai oublié l'orthographe de son nom), les autres ? Deux garçons discutent :

— Zidane, il a quitté l'équipe de France.

— Zidane, il est fini. Il fait des pubs à la télé. Il est fini.

— Ouais. « Place aux jeunes », il dit mon père, il a raison.

— C'est nous, les jeunes.

— Ouais.

Mi-septembre

Africaines et Asiatiques de Éric Deroo. Fatmah, le spahi amoureux. Yasmina, Le Major, d'Isabelle Eberhardt.

Avec Patrice Rötig, nous rencontrons Éric Deroo, cinéaste et chercheur. Il prépare un livre sur les tirailleurs sénégalais. Feuilletant *Mes Algéries en France*, il s'arrête aux pages militaires. Il rectifie, il a raison. Il faut distinguer l'armée coloniale (Afrique noire, Indochine) de l'armée d'Afrique (Maroc, Algérie, Tunisie) où on retrouve les corps indigènes (spahis, dont les officiers sont français pour la plupart, tirailleurs, goumiers, tabors) et les corps français (zouaves, chasseurs d'Afrique, légionnaires). Je tiendrai compte de cette subtile hiérarchie, à l'avenir. Éric Deroo nous montre les cartes postales de sa collection de femmes des colonies. Africaines. Indochinoises. Femmes des îles de l'empire (le prochain livre de Bleu autour, auquel il collaborera).

J'apprends par ailleurs dans *Guerre d'Algérie magazine* que m'a prêté René Lugand, que le mot zouave vient du berbère, qu'on a surnommé les zouaves « chacals » et qu'il ont largement participé à la prise de Constantine en 1837 sous le commandement du général Lamoricière (était-il déjà général ?). C'est grâce au zouave du pont de l'Alma qu'on mesure l'importance des crues de la Seine. Je ne quitte pas l'armée d'Afrique sans cette anecdote — qui aurait amusé Isabelle Eberhardt — que me rapporte Grégoire Georges-Picot. Henri Dupertuis la raconte dans un livre de mémoires du général Gustave Pertuis, son père (*Un homme d'aventures*, Presses du Midi). Lieutenant-colonel des spahis durant la Grande Guerre, il découvre, sur le navire qui le mène à Sète, un spahi très jeune aux mains fines, une petite étoile tatouée à son front. Fatmah avait suivi un officier spahi. Il était déconseillé aux officiers français d'afficher leur liaison avec des femmes indigènes, il était tacitement interdit de les épouser. Ces histoires d'amour des colonies dont Alain Ruscio a fait état ont fabriqué des mères infanticides et des bâtards métis souvent maltraités. Les garçons seraient enrôlés et les filles placées dans des Missions chrétiennes. Donc, Fatmah est tolérée par le chef et fait preuve de bravoure à Reims contre des hussards allemands. Le chef la reconnaît comme

« Fantasia de Spahis. J. Geiser. Alger. » Extrait de carte postale. Coll. part.

Femme more, d'Alger en Barbarie
allant par la Ville.

Gravure du XVIIIᵉ siècle.
Coll. part.

cavalier du régiment, elle est spahi jusqu'au départ en Orient. Qu'est-elle devenue ? Retour au pays natal avec l'officier français ? Elle aura des bâtards aux yeux clairs. Ou bien le lieutenant qui parle bien l'arabe se convertit à l'Islam, il épouse Fatmah suivant la loi coranique, ils ont de beaux enfants légitimes musulmans. Ou bien Fathmah est abandonnée comme dans les nouvelles d'Isabelle Eberhardt, *Yasmina* et *Le Major*. Les amantes indigènes ne suivront pas les deux Jacques, l'un officier Saint-Cyrien détaché au bureau arabe de Batna, l'autre médecin militaire « enfant des Alpes » détaché au bureau arabe d'El-Oued. Yasmina la Bédouine se prostituera au village nègre de Batna. Embarka l'orpheline se prostitue avec des tirailleurs et des spahis ; incarcérée pour prostitution clandestine, malgré sa liaison avec le « toubib », on l'enfermera dans une maison de tolérance.

En ces années 2000, le métissage influence la musique, la mode et les arts, on le glorifie comme force créatrice. On ne s'interroge pas assez sur les effets de domination à l'œuvre dans certains couples métis, lorsque l'un des deux est né dans un pays de l'ancien empire colonial.

17 septembre

Nancy, « Le livre sur la place ». La résistante française et ses enfants algériens. Stade de France, France-Algérie. Le sergent Blandan, Boufarik-Nancy.

À Nancy, « Le livre sur la place ». Rencontre à la médiathèque dans l'ancienne manufacture de tabac. On voit encore les rails des trains qui arrivaient et repartaient chargés. Au Salon, une femme feuillette mon livre : « Vous savez, j'ai été la marraine du bidonville d'Alfortville : les enfants algériens venaient chez moi pour les devoirs de l'école. De 1955 à 1965. Et la petite Inès. Une histoire terrible. Sa mère a caché l'enfant à sa famille, elle avait peur de son père, je ne sais pas ce qu'il aurait fait. La petite Algérienne a été placée dans une famille d'accueil, elle a subi des sévices de toutes sortes, elle est handicapée à vie. Quand on a été résistante comme moi (j'étais la plus jeune résistante de France, je distribuais des tracts avec un étui à violon dans Paris, j'avais de belles tresses blondes et les yeux bleus, ça passait), quand on a fait de la résistance, ces choses-là, on ne les supporte pas, cette souffrance, non je ne supporte pas. »

Le soir, à la médiathèque, on parle de Zidane. Une comédienne lit « Zidane, c'est mon fils ». La femme du Salon raconte, en souriant, l'aventure du Stade de France, le match France-Algérie, Zidane dans l'équipe de France : « J'avais des places pour mes petits protégés, quatre garçons algériens, enfin, de parents algériens. J'avais fait pour eux des drapeaux algériens, j'avais même dessiné un portrait de l'émir Abd el-Kader sur l'un d'eux (je l'ai donné à celui qui me l'a demandé). Ils ne voulaient pas que l'Algérie perde et elle perdait. Ils sont descendus sur la pelouse avec les drapeaux, vous connaissez la suite... Ils voulaient que l'Algérie gagne, vous comprenez ? »

Une jeune fille, cheveux frisés noirs, les yeux noirs, dit : « Moi aussi, je voulais qu'elle gagne... » Elle rit. Je la regarde, elle ressemble aux femmes d'Afrique du Nord sur cartes postales coloniales, ses ancêtres. Les miennes aussi ?

À la fin de la rencontre, pour les Sœurs de la Doctrine à Alger, je signe un livre. Deux religieuses se penchent vers moi et me demandent cette grâce à voix basse. Si je vais à Alger, j'irai les voir. L'une est asiatique, l'autre française. Sur l'habit gris souris elles portent une croix discrète.

Je quitte Nancy sans avoir vu la statue du sergent Blandan, déplacée de Boufarik à la caserne Thiry de Nancy. Le sergent est mort en 1842 lors d'une embuscade de cavaliers arabes dans un ravin, au milieu des lauriers roses, près de Boufarik. En 1887, on dresse une statue à sa mémoire. En 1962, le sergent laisse sa place à un drapeau algérien. Il est sauvé de justesse. À Nancy, il est à l'abri dans une caserne (*Monuments en exil*). La caserne des tirailleurs à Blida s'appelait « caserne Blandan », c'est une carte postale de 1906, adressée à un général pour le remercier de l'envoi d'une vue de Maubeuge, qui l'affirme. Encre violette manuscrite.

20 septembre

Arezki Metref à Ténès.

Au *Select*, j'écoute Arezki Métref (journaliste et écrivain, il organise des rencontres à l'Association de culture berbère et dirige le mensuel de l'ACB). Il revient d'Algérie où il a passé un mois. Il me parle avec passion non pas de l'Algérie mais des Algériens. De leur vigueur dans le désordre du pays, de leur acharnement à être vivants. Ils ne se résignent pas. Que pensera-t-il de mes rêveries algériennes, s'il lit le *Carnet de voyages* que je lui donne ? Arezki me parle aussi de son attachement à Ténès, la ville natale de mon père. « C'est beau Ténès. Tu as la montagne et la mer contre. » Il a filmé le vieux Ténès. Que reste-t-il de la maison familiale de mon père, la maison aux tourterelles ? Je ne veux pas savoir si la chambre au marabout de la vieille tante a été détruite au bulldozer. Je ne chercherai pas, je n'irai pas demander. Et, si la famille me dit « tu sais, la maison… », je dirai « non, je ne veux pas savoir ». Je n'irai pas. Et le cimetière où mon père ne repose pas auprès de sa mère, il avait sa place, comment je saurai où se trouvent les tombes et si elles sont côte à côte ? Si je demande, on me fera comprendre que… Je comprendrai que je dois laisser les morts à eux-mêmes, que chaque mort a les siens pour prier sur la tombe. Et moi, quelle prière ?

24 septembre

TF1, village sud-africain à Paris, exhibition ethnique.

Ce soir au journal de TF1, Claire Chazal présente un village sud-africain à Paris. Au pied de la tour Eiffel, un village reconstitué qui propose aux Parisiens les produits de son artisanat. Fabriqués en direct ? Faire connaître les Sud-Africains… On pense aux « villages indigènes », « villages ethniques » des expositions coloniales de 1889 à 1931. Tout de suite après, la mort de Françoise Sagan qui a vécu à « cent à l'heure » et laisse « une œuvre inoubliable ». Aucun rapport avec le village sud-africain, c'est le journal télévisé.

25 septembre

Reid Hall. Mahmoud Darwich. Mon père. Mes Algéries *(Dar el Gharb) à Oran.*

Reid Hall, centre franco-américain de l'Université de Columbia, Paris, 2004. Photo Dominique-Victor Pujebet.

J'aurais aimé que mon père entende, depuis les jardins de Reid Hall (cette maison patricienne aux trois jardins et véranda vitrée, rue de Chevreuse à Paris) où je retrouve les officiantes, mes amies Dany Haase-Dubosc et Dominique Victor Pujebet, j'aurais aimé que mon père, assis au bord des buis sur la terrasse semblable à celles des maisons de maîtres en Virginie ou en Louisiane, le Mississipi pas loin et les champs de coton, la voix des nègres en chansons… Ce soir-là où mon père ne peut pas être présent, j'imagine qu'il entend l'arabe musical du poète palestinien Mahmoud Darwich en hommage à Edward Saïd. Il est heureux comme s'il entendait un chant unique, profond, dans la langue de sa ville natale, le vieux Ténès, à l'ombre de l'arbre centenaire sur la colline où il disait à ma mère qu'il venait rêver et méditer, jeune homme.

Je reçois un recueil de mes nouvelles publié à Oran, *Mes Algéries*, aux éditions Dar El Gharb (la Maison de l'Ouest) dans la collection de Abdelkader Djeghloul. C'est la première fois. Comme si je revenais. Des nouvelles endormies dans des revues françaises, ici et là, reprennent vie dans le pays natal.

2-3 octobre

Gaillac. Le beau « lycée mixte ». La Marianne de Pendaries. Sur la place, les chibanis, les jeunes Arabes. Le Muséum d'histoire naturelle. La Française de Saïda. La tombe musulmane. Le monument aux morts des « trois communautés pieds-noirs en Algérie ».

Gaillac, dans le Tarn, « à 30 minutes de Toulouse » dit le dépliant. Brique rouge, pierre blanche, des vignes et le Tarn au bord de l'abbaye Saint-Michel, dans l'abbaye le salon du livre. L'été indien. Le beau lycée Victor-Hugo IIIᵉ République, des lettres d'or au fronton, *Lycée mixte*. Accueillant. Ses quatre cours et des cèdres centenaires. Une plaque de marbre rend hommage aux « Maîtres et Anciens Élèves morts au champ d'Honneur ». Une mention pour l'Indochine, « Lieutenant Coste Guy tué à Dien-Bien-Phu le 3 avril 1954 ». Pas de mention pour l'Afrique du Nord (il n'y a pas eu de morts, peut-être). Dans les classes, curieuses et attentives, FR3 filme 3 mn 05 pour le journal du soir. Je rencontre Nadia, née en France de père algérien et de mère française. Elle me parle de son métissage, complexe et souvent difficile : « Le livre c'est ma passion. »

Une lectrice se penche vers moi : « Je voulais vous raconter une petite histoire, elle vous plaira. La mère d'une amie a reçu la visite d'une jeune fille née en France de parents algériens. La mère de mon amie, elle-même née en Algérie, lui dit : "Vous et moi, on est du même pays." La jeune fille lui répond : "Alors, vous aussi vous êtes de Lille ?" » Peu après, une autre lectrice m'arrête, j'allais vers la terrasse sur le Tarn. « Je vais vous raconter une histoire qui vous plaira. Je m'occupe de personnes déficientes. Un jour, j'ai mis une chanson de Idir. Une femme s'est mise à danser, c'était la première fois. J'étais sidérée. Je l'ai félicitée. C'était un exploit. Elle m'a dit : "C'est qu'avant, j'étais arabe." Je ne m'attendais pas à ça… Je la découvrais. »

Le Musée des beaux-arts dans un château ouvert sur le Tarn. Tout à l'heure, une tourterelle blanche survolait la rivière, elle irait pour moi jusqu'à Tipasa, à l'autre bout de la Garonne, la mer, elle parlerait aux trois sœurs, les laveuses de morts qui marchent au bord de l'écume. (Je vois le Tarn partout, c'est peut-être une pièce d'eau au pied des jardins ?) Le buste d'une Marianne en plâtre patiné de Pendaries (1862-1933), trois épis de blé au creux de son corsage. Dans le parc, des adolescents arabes remplissent de marrons les poches de leurs survêtements. Pour quelle Intifada ? À Alger, dans le Jardin d'Essai, Camus et ses camarades faisaient provision de cailloux pour tirer les fruits mûrs. Sous les platanes de la place, des groupes d'hommes et de jeunes gens. Les uns debout près du Café des sports, casquettes américaines, ils parlent en arabe et en français. Les autres, des *chibanis*, calottes blanches, pas tous, assis sur les bancs des allées, bavardent en arabe. En face, les vieux Gaillacois, cannes et casquettes paysannes, parlent entre eux en français. Comme les *chibanis* de l'allée parallèle, ils roulent le « r ». Au Café des sports, un jeune Arabe lit *L'Équipe*. Sur son blouson blanc, dans le dos on lit EDEN PARIS. Si je lui parlais de ADEN ARABIE ? Il lit le journal avec une attention soutenue.

On traverse un pont pour arriver au Muséum d'histoire naturelle *Philadelphe-Thomas*. Sur les flancs du ravin peuplé, des palmiers, au fond, un autre pont sur le Tarn et, dans le jardin d'une maison aux volets verts, des grenades mûres, rondes et rouges. Il faut sonner, attendre. Un homme fatigué et affable ouvre lentement la porte du musée. Ça sent le bois, la cire et les bêtes empaillées, naturalisées. Je suis seule dans le musée. Surtout ne jamais le « moderniser », le laisser tel, avec ses espèces en sciences naturelles derrière la vitre, ses livres et ses bêtes. Les plus hauts des oiseaux, debout, deux cigognes blanches, le bec peint en rouge vernissé, « Ciconia alba » écrit à la main d'une encre noire appliquée. Plus loin, l'hirondelle rustique de cheminée, « Hirundo rustica » près de son nid « sur la corniche du musée, 23.9.96 », de la même écriture,

Monument aux morts pieds-noirs,
cimetière de Gaillac, 2004.

pleins et déliés sur étiquette caramel. Enfin, pour compléter mon bestiaire, « l'hippocampe à museau court ». J'ai égaré celui que j'ai gardé longtemps, fragile, depuis Port-Say où nous allions dans l'école de la commune mixte chez des amis instituteurs, un grand bois d'eucalyptus et de pins nous séparait de la mer et une rivière étroite, du Maroc. J'ai oublié tortue de terre et caméléon. Je reviendrai, pour eux, à Gaillac.

En face de l'hôtel, le cimetière. Une vieille femme remonte l'allée centrale. Je lui demande s'il existe un carré musulman. « Un carré, non, mais des tombes, oui, par là-bas au fond à droite dans la partie nouvelle. C'est même des tombeaux que vous verrez. Moi, les Arabes, ils me font pas peur, je les connais. Je suis née en Algérie, à Saïda exactement, en 1913. Avec ma mère on a quitté le pays après la mort de mon père. On a habité Oran. Je voudrais bien y revenir. Je prendrais la rue tout droit jusqu'à la maison sans me tromper. Hier, à Gaillac, j'ai vu passer un cortège de mariage avec des drapeaux, un drapeau rouge, vert et blanc, l'autre rouge avec un croissant de lune, je le connais pas ». « Turc peut-être ? » « Turc ? Je sais pas. À la fin du cortège, y avait une voiture de la gendarmerie. La mariée était en blanc, comme chez nous. » Elle parle avec le bel accent roulé de la région.

Le cimetière est grand. L'ancien, le nouveau. Une vieille femme fait le ménage du tombeau familial, seau, poudre de lessive, brosse, chiffon pour faire briller le faux marbre. Une tombe modeste sans fleurs ni couronnes, sur la stèle le nom du défunt et le prénom, *Mahomet*, la transcription française archaïque de Mohamed*. Bizarre. Un croissant et une étoile rappellent, discrets, la religion. Plus loin, sur une stèle avec le Christ portant la croix, « À la mémoire de nos défunts laissés en Algérie… » Plusieurs reportages à la télévision sur le retour de pieds-noirs dans leurs villes, villages, leurs cimetières (entretenus) et leurs maisons (habitées, certaines hospitalières, d'autres non). Au milieu d'une allée un étrange monument

*Peut-être une transcription turque, qui donne aussi le prénom Mehmet (celui du héros de la saga du romancier turc Yachar Kemal) ?

« républicain », pas de croix, au centre la Liberté, à droite un drapeau avec le croissant et l'étoile, à gauche un drapeau avec l'étoile de David, de chaque côté du socle un pied noir incrusté dans le marbre, le texte dit : À LA MÉMOIRE DES TUÉS OU MORTS DES TROIS COMMUNAUTÉS PIEDS-NOIRS EN ALGÉRIE. PRIEZ POUR EUX. Du cimetière, je suis descendue vers le Tarn. Je l'ai écouté, sous le pont une écluse légère, la mer à Tipasa au bord des ruines romaines.

7 octobre

Le marchand de tapis à Paris XIII. *Rue des Écoles, une précieuse notice sur la prise de la Smala d'Abd el-Kader.*

Depuis le comptoir de *L'Ariel* rue de la Glacière, en face du *Paquebot Normandie* où j'ai acheté des figurines « Starlux » à mes fils (ils ont fabriqué fermes, camps, villages et villes fortifiées d'une chambre à l'autre, la farine c'était la neige), je vois passer, ils existent encore, un marchand de tapis arabe, blouse noire, tapis sur l'épaule, bonnet de laine des ouvriers de chantier, les « SONACOTRA » que leurs fils ont oubliés. Le même marchand que celui du Café de Barbès, Ali, que la tenancière, une ancienne prostituée ralliée au FLN, protégeait des flics il y a plus de quarante ans. Au bar, de jeunes ouvriers parlent en arabe, ils remplacent les *chibanis* sur les chantiers désertés depuis longtemps par les Français.

Rue des Écoles, chez le bouquiniste qui jouxte la librairie *L'Harmattan*, j'achète un petit Coran, cuir rouge et or, un *Romancero mauresque* et une *Notice sur l'expédition qui s'est terminée par la prise de la Smahla d'Abd-El-Kader, le 16 mai 1843.* Spahis et goumiers pillent les trésors de la capitale nomade de l'émir : armes de prix, argent, burnous rouges, manuscrits précieux, bijoux, esclaves noirs des deux sexes, des centaines de chameaux, chevaux, juments, des milliers d'ânes et de moutons… La mère et la femme de l'émir s'échappent grâce

12 . M. Durrieu, *Cap.ne d'État major.* 15. M. de Canclaux, *S.L.t 4e Chass.rs*

13 . M. de Marguenat, *Off.er d'Ord.ce 17e Léger.* 16 . M. Cadic, *Cap.ne Adjud.t major.*

14 . M. Grandjean, *Cap.ne de Gendarm.ie* 17 . M. Grandvallet, *Cap.ne 4e Chass.rs*

« Prise de la Smahla d'Abd-el-Kader, le 16 mai 1843. »
Vinchon, Imprimeur des Musées royaux.

18. M. de Beaufort, *Off.ʳ d'Ord.ᶜᵉ du Prince*. 21. S.A.R. Mᵍʳ le Duc d'Aumale. 24. *famille de* Ben-Allal

19. Aboudi *Porte-fanion*. 22. *La Fille de* Sidi-Embarak. 25. Sid-el-Aradj, *Marabou*

20. *Le Com.ᵗ* Jamin, *Aide de Camp du Prince*. 23 M. Urbain, *Interprète*.

(qui a sacré Abd el Kader)

à un esclave fidèle. Le colonel Yusuf, commandant des spahis, participe à la prise de la Smala. On le voit à cheval sur la frise à l'encre de Chine. Il a combattu frénétiquement Abd el-Kader et les insurgés algériens dans tout le pays. On l'a beaucoup médaillé. Dans un *Extrait du rapport de S.A.R. le duc d'Aumale, en date du 20 mai 1843*, le duc d'Aumale qui a dirigé l'opération cite parmi les spahis Yousouf-ben-Morcelli, Kadda-el-Aboudi, maréchaux des logis, les cavaliers Ben-Aïssa, Ben-Kassem-Ouled-el-Bey, Ben-Kassem-ben-Omar…

9 octobre

Jacques Derrida est mort.

Jacques Derrida est mort. Avec lui, Alger, un peu des années Télemly. Jacques, son rire.

11 octobre

France-Culture. Le fondateur de la boisson Orangina *à Boufarik.*

Papier d'orange.

France-Culture. L'émission d'Emmanuel Laurentin. Le fondateur de la bouteille ronde *Orangina* raconte Boufarik dans la Mitidja, la ville-mère de l'orange. Les émigrés alsaciens et lorrains, le centre colonial avec la statue du capitaine Blandan rapatrié à Nancy (on l'a vu mourir dans le ravin aux lauriers roses), la rue Blandan et sûrement le kiosque à musique comme à Hennaya. Boufarik, laboratoire des boissons sucrées sans alcool, des entreprises *Orangina* à Blida et Alger, « le père de Jacques Derrida faisait dans la limonade, j'ai travaillé avec lui ». Jean-Claude Beton poursuit : « Pendant la guerre d'Algérie, le contingent a fait beaucoup pour *Orangina*, pour *Kronenbourg* aussi… Les Français ont mangé avec des boissons très sucrées comme les Américains, malgré la campagne anti-*Coca-Cola* des communistes. Le vin a failli disparaître… » En 1967, les usines quittent l'Algérie pour Marseille. En France, le réseau des cafetiers a favorisé l'implantation d'*Orangina* jusqu'à concurrencer *Coca-Cola*.

« La petite bouteille a trouvé sa place. » Les oranges n'ont pas suivi. Le Maroc occupe le marché. Avec la publicité, c'est le triomphe de la bouteille ventrue, jusqu'en 1978. Le fondateur est retourné à Boufarik en 2003. Les anciens ouvriers algériens l'ont bien accueilli. L'hospitalité malgré le sang, les haines… Le père de Fouzia Ould-Kaddour, chercheuse scientifique à l'université d'Orsay, exportait les oranges de son domaine de Hennaya, il était l'adjoint du maire Grasset.

13 octobre

En Palestine, des maisons et des orangeraies rasées.

En Palestine, des bulldozers de l'armée israélienne rasent des maisons et des orangeraies.

14 octobre

Mes Algériennes, de Albert Bensoussan, et la couturière de Tlemcen, sa cousine.

Je lis *Mes Algériennes*, de mon ami Albert Bensoussan*. Je l'entends rire avec tous ses accents, juif, arabe, pied-noir, breton, un peu espagnol (il traduit les « grands » de la littérature latino-américaine). La couturière de Tlemcen, sa cousine belle et raffinée (elle avait transformé les cabinets turcs aquatiques en toilettes parisiennes avec le papier de soie réservé à la couture), renommée depuis Hennaya « jusqu'aux rives de la Tafna », la même que la couturière des jeudis dans la maison de ma mère ? Cette cousine pesait de ses lourdes jambes « sur la pédale à croisillon métallique de sa *Singer* », ma mère aussi avait une *Singer* et des patrons « fel Pariss », modèles importés de « Métropole ». J'apprends par son cousin Albert, que la couturière de Tlemcen était gourmande et que ses rondeurs en faisaient une « luxuriante callipyge ». Albert n'a pas inventé la couturière voluptueuse, je l'ai vue, elle existe et je percevais, enfant, vaguement, très vaguement, les ruses de la sensualité couturière.

Le zouave Sémaoun Bensoussan, l'oncle d'Albert, mort en 1915 et enterré au cimetière militaire de Beauvais. Coll. part.

* *Mes Algériennes*, Albert Bensoussan, dessins de Joël Leick, Nouvelles et récits du Maghreb, Al Manar, 2004.

En haut, la grand-mère paternelle d'Albert Bensoussan (Esther Benayoun, Nédroma, épouse Yéhounda Bensoussan à 13 ans) et son grand-père paternel (Yehounda Bensoussan, né à Debdou au Maroc). En bas, son grand-père maternel (Messaoud Benayoum) et sa grand-mère maternelle (Lalla Sultana, Nédroma, épouse Messaoud Benayoun à 13 ans). Coll. part.

Samuel Bensoussan, assis à droite, le père d'Albert, zouave pendant la Grande Guerre, 1915.
Coll. part.

17 octobre

Une plaque commémorative à Sarcelles.

À Sarcelles, une plaque commémore le 17 octobre 1961.

22-26 octobre

Minsk, en Biélorussie. Les cigognes. Je relis Le Premier homme, *d'Albert Camus.*

Ouvrage (1931)
de Charles Dumas,
directeur des
Écoles normales
d'Alger-Bouzaréa.
Coll. part.

On me dit que des milliers de cigognes peuplent les marais du sud. On me dit aussi que le sud du pays est devenu zone interdite après Tchernobyl. Des cigognes contaminées, leur voyage au-dessus de la Mecque les guérira.

Dans la chambre de l'hôtel *Belarus*, je relis le livre inachevé de Camus, *Le Premier homme*. Il aurait raconté, plus longuement, les émigrants ouvriers, révolutionnaires parisiens de 1848 devenus colons avec moustiques et marécages sous les tentes militaires (d'autres émigrants, dans l'autre sens, plus d'un siècle plus tard, ont survécu dans les misérables camps de tentes, les mille tentes sous la bise du plateau hostile). Il aurait raconté les péniches et le bateau, la ville de Bône en fanfare et la vie dure des idéalistes de naguère, aujourd'hui pionniers de la colonisation. Il aurait imaginé les Alsaciens, ses ancêtres paternels, depuis le Rhin germanique jusqu'à la Seybouse algérienne. Il a résisté à la saga coloniale, ou il n'a pas eu le temps, et Jules Roy l'a écrite. Reste, côté père, la maison de ferme blanche et bleue, sa maison natale, le beau costume de zouave et la pierre tombale dans le cimetière de Saint-Brieuc où repose le soldat dans le carré du « Souvenir français », seul, abandonné, loin des siens et de sa terre, comme ces *chibanis* des carrés musulmans dans les cimetières de France. De ces cimetières où les pierres tombales ne sont plus de belle et vieille pierre mais de faux ou vrai marbre prétentieux dont le fils Camus (plus vieux que son « père cadet ») déplore la laideur. L'esthétique funéraire « moderne » sévit aussi dans les vieux cimetières de

D'après G. Esquer.

Fig. **30**. — L'Empereur et l'Impératrice a Alger, en 1860.
Tableau par Pils. Collection de M. Vaudoyer.

LECTURE. — Les déportés politiques en Algérie.

L'Algérie reçut des déportés politiques après les journées de juin 1848, et surtout après le coup d'État du 2 décembre 1852; on évalue leur nombre à près de 10 000.

Ils étaient divisés en trois catégories.

La première se composait des déportés internés dans des forts ou des pénitenciers comme celui de Lambèse. Leur vie était dure; ils étaient enfermés dans des cellules ou dirigés sur les chantiers où le travail était le plus pénible; c'est ainsi que 400 d'entre eux furent envoyés pour ouvrir la route de Guelma à Bône. Soumis à une surveillance sévère, beaucoup contractèrent les fièvres, et c'est parmi eux surtout que la mortalité fut élevée.

La seconde catégorie recevait les déportés que l'on considérait comme moins dangereux; on y admettait de préférence les cultivateurs et tous ceux qui exerçaient une profession utile à l'agriculture.

Par escouades de vingt, ils étaient dirigés sur les villages où ils devaient travailler. Chaque escouade recevait des ustensiles de campement, et la nourriture était préparée en commun. Les travaux de défrichement, de plantation ou de construction étaient exécutés à la tâche, selon des tarifs fixés d'avance, et le tiers de l'argent ainsi gagné était remis aux travailleurs.

Enfin, entraient dans la troisième catégorie les déportés qui avaient donné satisfaction par leur attitude, et qui désiraient se fixer en Algérie. Ils pouvaient faire venir leur famille, demander une concession, et même s'associer entre eux pour des entreprises de leur choix.

Comme on le devine, les déportés politiques qui se fixèrent dans la colonie étaient très hostiles au régime impérial; leur présence contribua à fortifier l'opposition contre l'Empire, qui alla croissant en Algérie jusqu'en 1870.

Extrait de *Petite histoire de l'Algérie*,
(Hachette, 1931). Coll. part.

Minsk où les tombes anciennes ont été peintes en bleu tunisien, comme les croix enfermées dans les grilles rouillées, solides encore et qui ne retiennent pas les feuilles des bouleaux. Je pense aux tombes simples et pauvres, émouvantes (terre et petits galets au pourtour), du cimetière de Mas-Thibert en Camargue où sont enterrés des enfants de harkis algériens. Qu'on leur épargne ce triste marbre moucheté qui recouvre désormais des tombes musulmanes dans les cimetières de France. On intègre ainsi les morts.

De sa mère, Camus aime les beaux yeux tendres et doux, il dit qu'il l'aime désespérément. De son maître d'école, son père spirituel, de l'autre côté de la maison des femmes qui est pauvre, sans héritage spirituel, privée d'histoire et de patrie, de ce père attentif, bienveillant, généreux, monsieur Germain, l'instituteur magnifique, il apprend tout, et que les fils du pauvre peuvent être des gens du livre. Ainsi, mon père et des générations de fils d'ouvriers agricoles et de femmes de ménage dont certains ont accédé au jeune pouvoir algérien.

On pense à d'autres « fils du pauvre » sur la rive française, fils et filles de travailleurs en exil, aujourd'hui des *chibanis*, qui mériteraient, comme l'élève Camus, des instituteurs héritiers de monsieur Germain. Il en existe. Trop peu, semble-t-il. Albert Camus choisit la France et la gloire. Jean Sénac, l'Algérie et ses comités révolutionnaires. Il écrira, lui aussi, un tombeau pour le père inconnu, absent, une poignante *Ébauche du père*.

Je ne savais pas, durant mes années *Kouba*, que je respirais « l'air de France », un air frais et vivifiant pour les habitants des quartiers surpeuplés. L'enfant Camus l'entendait dire au plus chaud de l'été algérois. C'était la guerre, les filles enfermées dans le lycée, et l'air de France me venait des livres et des voix discordantes, séductrices, de jeunes « Françaises de France » dissidentes.

Clermont-Ferrand, 2001. Photo Olivier Daubard.

28 octobre

« France, Algérie, mémoires en marche » dans Le Monde. *« Baya El Kahla », « Baya la noire » de Boufarik. Marc Garanger, retour dans les Aurès.*

Dans le journal *Le Monde*, un dossier « France, Algérie, mémoires en marche ». Tewfik Hakem raconte « Baya El-Kahla », « Baya la Noire », ainsi baptisée au maquis où elle est infirmière. Il la rencontre à Boufarik où elle vit aujourd'hui. Tourner la page (arrêtée, elle a été torturée et violée) sans oublier. Elle est sage-femme. Du côté de la vie. La vie algérienne, Marc Garanger la retrouve dans les Aurès où il rencontre des femmes et des hommes qu'il a photographiés en 1960. Comme dans les contes (pour surmonter l'épreuve et l'anxiété du retour à ces années de guerre ?), des auxiliaires bienveillants, généreux, l'accompagnent dans ses pérégrinations. Ses petites filles sourient contre l'épaule de la belle aïeule aurésienne. Les jeunes femmes qui dansaient (en couleurs dans *Femmes des Hauts-Plateaux, Algérie 1960*, la boîte à Documents, 1990) lors de la fête du printemps se découvrent à l'image sous le regard intrigué des enfants et des petits-enfants. La petite fille qui portait sur son dos le frère encapuchonné, on la voit, minuscule, près du frère, colosse laboureur. Je suis Marc Garanger d'une photographie à l'autre, noir et blanc, couleur, avec l'émotion et la fébrilité qui ont été les siennes dans les Aurès.

Je voudrais, par hasard, bavarder avec celle qui souriait, enfant, dans les rues du Mesdour et qui vit dans la banlieue parisienne. J'ai écrit et publié des nouvelles (*La photographie, La photo d'identité*) où des femmes et des petites filles de Garanger ont traversé la mer depuis les Aurès natales jusqu'à Paris et sa périphérie. J'ai inventé pour elles une histoire, des histoires, mais je ne les ai pas rencontrées.

Début novembre

Barbès. L'écrivain public. Les heures des prières. Les cigognes de la publicité.

L'écrivain public
de la rue des Islettes
à Barbès, novembre
2004.

C'est le Ramadan. Boulevard Rochechouart, rue Polonceau, rue des Poissonniers, rue Myrha… Comme à Alger, des hommes et des jeunes gens bavardent le long des murs, sur les trottoirs devant les commerces. Peu de femmes. Une voiture de police. Contre la grille bleue de l'école maternelle, sous le drapeau tricolore, un écrivain public, assis. Il attend le client. Rare. Partout des boutiques de téléphone. L'écrivain de la rue des Islettes est revenu. Pour combien de temps ? Non loin, la mosquée *El Feth*. « Enseignement arabe et coranique. » Elle affiche les heures des prières. À ne pas oublier, le papier que distribue monsieur Touré : « Paiement après résultats avec garantie… L'homme ou la femme parti(e) tu viens ici tu vas le (la) voir. »

Métro Château Rouge. La cigogne des vins d'Alsace a migré chez *Vivrelec*, publicité *EDF*. Elle s'est multipliée, quinze cigognes passeront l'hiver au chaud chez l'homme qui leur donne l'hospitalité.

11 novembre

Arafat est mort ce matin en France. L'appel à la prière musulmane.

Aujourd'hui Arafat est mort. Yasser Arafat-Abou Ammar est mort à l'aube, en France. S'il n'a pas fondé l'État palestinien, il est le créateur du peuple palestinien, son peuple. C'est en 1988 qu'il a déclaré, à Alger, l'existence d'un État palestinien. Tremblement dans le Moyen-Orient, il a reconnu l'État israélien.

Il n'y aura pas la paix ni un État palestinien tant que Israël et ses dirigeants penseront qu'ils poursuivent la

Les heures des prières à la mosquée El Feth, Barbès,
novembre 2004.

politique de 48 : la Palestine leur appartient, c'est leur terre promise, ils ne l'occupent pas, ils reprennent leur bien. L'extension des colonies n'a jamais cessé. Sans l'évacuation totale des territoires, le retrait de l'armée israélienne et la destruction du mur, pas de paix.

Je vais chez Catherine Dupin. Rue d'Alésia, boulevard Blanqui (le nouvel immeuble du journal *Le Monde* est en construction), des chantiers envoilés de gaze verte ou blanche sur les échafaudages. On ne voit pas les hommes, de jeunes étrangers qui se parlent en arabe, ouvriers du bâtiment, ils succèdent aux *chibanis*. J'entends l'appel à la prière musulmane, la voix du minaret invisible, derrière les platanes.

15 novembre

Retour sur l'île Seguin, un film de Mehdi Lallaoui, des photos de Gilles Larvor.

MK2 Bibliothèque. *Retour sur l'île Seguin*, un film de Mehdi Lallaoui, et une exposition de photos de Gilles Larvor (Agence Vu) avec qui j'ai travaillé pour *Val-Nord, fragments de banlieue* (Au nom de la mémoire, 1998). Mehdi, avec la complicité de Gilles et des ouvriers de l'île qu'ils appelaient « l'île du diable », poursuit sa mission de passeur de mémoire : immigrations successives, bidonvilles, banlieues, Kabyles du Pacifique, usines, 17 octobre 1961…

Infatigable, efficace, il rend hommage aux oubliés. Ces hommes de l'île Seguin, ces *chibanis* que de jeunes immigrés du Maghreb (pas leur fils) remplaceront pour détruire la forteresse, veulent dans leur île un musée pour eux, pour leurs camarades, et raconter cette Babel mythologique du travail. Ils ne l'auront pas.

Un ouvrier algérien de la fonderie de Longwy, 1979.
Photos : Dominique Doan.

Île Seguin, 2004.
Photo : Gilles Larvor (Agence *Vu*).

Mi-novembre

Frantz Fanon à Blida. Hennaya, la voix de mes condisciples. Les photos de classe. La Singer et la couturière de Tlemcen.

Marie-Hélène Clervoy (que je verrai à Montluçon le 18 novembre à la Médiathèque) me parle dans sa lettre de son frère psychiatre à Toulon, Patrick Clervoy, elle m'envoie un article de lui où il rappelle les options révolutionnaires de Frantz Fanon, psychiatre martiniquais de Blida dont Alice Cherki parle dans son beau livre (*Frantz Fanon, portrait*, Seuil, 2000 ; voir aussi *Frantz Fanon, l'importun*, de Christiane Chaulet Achour, préface de Behja Traversac, Éd. Chèvre feuille étoilée, 2004). C'est en 1953 que Fanon est nommé à Blida où il met en place des services psychiatriques qui ne séparent plus les patients indigènes et européens, où les musulmans ne sont pas considérés comme inférieurs et primitifs génétiques, tels étaient les préjugés des psychiatres français dans les années 50 cités par Patrick Clervoy : Henri Aubin, « Indigènes nord-africains, Primitivisme, Noirs (Psychopathologie des) » in Porot, *Manuel alphabétique de psychiatrie* (Paris, PUF, 1952). Les patients auront un café maure dans l'hôpital. Fanon a été le premier à analyser les pathologies liées à la colonisation et à la guerre d'Algérie. Il fonde un centre neuropsychiatrique en Tunisie à la Manouba. Il meurt avant l'indépendance de l'Algérie, en 1961. Fanon est enterré en Algérie. À Blida, l'hôpital porte son nom.

La cave coopérative (1875-1938) de Hennaya, 1962. Coll. part.

Des nouvelles de Hennaya. Par la voix et par l'image. Elle a été institutrice dans l'école de mon père, « l'école d'en bas », en 1958 (ce n'était plus l'école de mon père). Son père a été tué dans une embuscade sur la route de Tlemcen à Hennaya en 1957. Elle quitte l'Algérie en 1963 pour une petite école à classe unique. « Le sol était en terre battue, pas de sanitaires dans la maison d'école. » Il fait froid et gris et nuageux, c'est la Somme où elle est aussi secrétaire de mairie, comme mon frère à Fraillicourt dans les Ardennes avec Brigitte et ses filles Nathalie et Anne. Je suis allée les voir avec D. Elle, c'est Marie-Louise Najar-Cazelle, une amie de Lyliane Brochin-Bourdais que j'ai rencontrée à Nantes en 1998 et 2000, native de Hennaya. Marie-Louise, après Meudon-la-Forêt dirigera une école maternelle Albert-Camus dans le Vaucluse. En 1986 et 1987, pour la Toussaint, Marie-Louise décide le retour à Hennaya. La ferme, sur la route de Nédroma, est à l'abandon. Le cimetière chrétien a été profané comme d'autres, en 1987 il retrouve sa dignité de cimetière. Les Sœurs du dispensaire ont vieilli. Sœur Paolina est morte. Le maire, prévenu, a reçu Marie-Louise dans son village, chaleureux, hospitalier. Dans l'école de mon père, désormais une école mixte, on fêtait le 1er novembre 1954, Marie-Louise à la place d'honneur. « J'ai retrouvé ma classe, les mêmes tables, le tableau usé et, au-dessus du tableau, le verte ÊTRE, le même, le mien. Des élèves m'ont reconnue, j'étais très émue… On m'avait tellement dissuadée de revenir à Hennaya, on m'avait dit des policiers partout, les photos interdites… J'ai fait exactement ce que je voulais. »

Francis Cazelle était le fils du facteur. « Je me souviens de votre père. Avec mon père on rentrait par le jardin d'en bas. Je vous ai vues, vous et vos sœurs. J'ai bien connu monsieur Ounnas que votre père a remplacé. Avec votre frère, on était dans la même école avec Roland Sanchez et Georges Chartier, le fils de l'instituteur et de l'institutrice de l'école « d'en haut », et au collège Slane à Tlemcen. Mes sœurs ont été institutrices. L'une d'elles en classe d'initiation pour les filles musulmanes, près de la boulangerie Pomiès. Le moment aux morts — je me souviens d'un poilu avec des noms sur le socle — a été remplacé par la poste. Ma femme a pris des photos de la cave coopérative, de la mairie, de l'église… On a des photos de classe. On a retrouvé des amis

Petites filles en habit de fête, Hennaya, 1986.
Station service, Hennaya, 1987. Coll. part.

d'Hennaya à l'occasion de rencontres, Roland Sanchez, Mohamed Hamani... » « On vous envoie des photos. » J'ai cru que je rêverais de Hennaya, comme si souvent. Je n'ai pas rêvé du village de la colonie. Je me dis que, si j'approche trop l'enfance physique algérienne, l'Algérie disparaîtra et moi sans elle...

Roland Sanchez habitait de l'autre côté du stade, non loin de « l'école arabe », « l'école de la cave coopérative » (l'école de mon père). « Je vous voyais, les trois sœurs, toujours ensemble, belles, bien habillées, vous alliez sur le chemin de "l'école d'en haut" en montant par la route des remparts (ils avaient été rasés) bordée de mûriers. Je me rappelle ton père, les cheveux noirs frisés, des lunettes, et ton frère, on était copains avec Alain Sévilla, le fils du dernier chef de gare, il a fait de l'accordéon. Je jouais au foot avec les garçons du quartier, c'est comme ça que j'ai appris l'arabe. Mon père parlait le français, l'espagnol et l'arabe, il était secrétaire de mairie, alors bien sûr... Sa famille était espagnole, comme celle de ma mère. Les grands-parents étaient venus d'Almeria, vers 1880 ils sont arrivés en Algérie. J'ai appris l'espagnol avec ma grand-mère. J'ai enseigné avec Georges Chartier à l'école Pierre-et-Marie-Curie à Tlemcen et à "l'école d'en haut" à Hennaya. » [Georges Chartier a dirigé une école à Villeneuve-sur-Lot avec Jeanne Estève qui était au collège de filles de Tlemcen avec moi, note de l'auteur.] Roland Sanchez fait son service en 1963 à Cherbourg puis il est nommé à Saint-Dizier où il vit toujours. « Je t'ai vue dans le journal pour les rencontres des Silos à Chaumont. À Saint-Dizier, j'ai retrouvé un Algérien d'Hennaya. Son père était boucher et, lui, gardait les moutons. Je le voyais passer devant chez nous le matin et le soir. Un jour, il a vendu un mouton pour payer le bateau. Son père l'exploitait, il s'est enfui en France. Pourquoi Saint-Dizier ? Il a travaillé dans le bâtiment et chez Citroën. Il a eu plusieurs femmes et beaucoup d'enfants. »

En haut, l'école « d'en bas », cantine gratuite, Hennaya, 1960. De gauche à droite, les institutrices Yolène Job, Andrée Pelvé, Marie-Louise Najar, Lyliane Brochin et Melle Mimoun-Touati. En bas, l'école « d'en haut ». Au 1er rang, de droite à gauche, Roland Sanchez (le 1er) et mon frère Alain (le 3e). Coll. part.

Hennaya, encore, le roman colonial d'Hennaya. Je reçois des photos de classe, je ne reconnais que ma sœur Lysel et mon frère Alain mais j'entends les voix du village français. J'ignorais ou je ne voulais pas savoir (je me méfie de la nostalgie) si ces voix au téléphone me troubleraient, et elles me troublent, l'accent, les intonations, la langue espagnole en arrière-paysage, tout cela qui disparaîtra bientôt, ces voix-là, de chair et de sang.

Le père de Lyliane, viticulteur, parlait arabe et espagnol, sa mère écrivait les lettres aux hommes émigrés en France. La couturière de Tlemcen faisait les tabliers d'école sur la *Singer* familiale. Albert m'a dit que sa cousine Esther, couturière à Tlemcen, a créé un atelier de couture à Alger où elle habillait les dames de la capitale. La *Singer* l'a suivie. Jusqu'à Marseille où elle vit aujourd'hui ? Institutrice en classe d'initiation à l'école « d'en haut », Lyliane accompagnait (avec Marie-Louise Najar et Yolène Job) les élèves à la cantine de l'école « d'en bas » qu'on appelait aussi l'école « de la gare » ou l'école « du stade »... Je l'apprends aujourd'hui (par téléphone), c'était l'école de mon père, « l'école de garçons indigènes » où Marie-Louise a été institutrice (mon père n'en était plus le directeur, en 1959-1960). La mère de Marie-Louise soignait les enfants des ouvriers agricoles. Elle élevait volailles et cochons. À la maison de ferme, une machine *Singer* (cinq enfants à habiller). « Les pieds en fonte de la *Singer* se sont cassés pendant le déménagement. Chez Emmaüs j'ai racheté une vieille *Singer* qui marche », précise Marie-Louise.

Conchita Gongora habitait la ferme au bout du village sur la route de Tlemcen. « Mon père parlait bien l'arabe. Moi aussi. J'ai appris à broder à l'ouvroir des Sœurs avec les filles musulmanes, la broderie de Nabeul au point compté, c'est magnifique. Les Sœurs exposaient nos travaux, broderies, tapis… À la maison, on avait une *Singer*, madame Larosa, la couturière d'Hennaya, travaillait chez nous pour ma sœur Laetitia et moi. Mes tantes faisaient venir une couturière de Tlemcen, j'ai oublié son nom. À la ferme, ma grand-mère (elle parlait espagnol) a élevé des orphelins musulmans. Elle attendait sous un arbre de la cour de ferme les femmes qui allaient chercher le bois pour leur donner à boire, l'été il faisait très chaud. Avec elle on allait à des mariages musulmans dans les douars. Mon père est resté jusqu'en 1963. Ils ne voulaient pas le laisser monter dans le taxi le jour de son départ. Tout le monde pleurait… » Conchita poursuit : « Sur les photos de classe, on vous voit ta sœur Lysel et toi, toujours impeccables, des cols brodés, des rubans dans les cheveux, nous aussi à l'époque… »

Émile Hinsinger me parle d'Hennaya, de mon frère Alain, de Roland Sanchez qui m'enverra des photos. « Mon plus grand plaisir, c'est de rencontrer des Algériens, avec eux je parle de notre pays, ils me comprennent. » Il ajoute que Michèle Lecestre, la fille de l'instituteur de l'école « d'en haut », est pharmacienne à Tours où ils habitent.

J'apprends par hasard, sur Internet, que le jeune chanteur de charme, Faudel, la France entière le connaît, s'appelle Faudel Bellula, que son père, ouvrier chez Renault, est né à Chlef et sa mère, femme de ménage, à Hennaya. Ils habitent Mantes-la-Jolie au Val-Fourré où Faudel est né en 1978. Comme Cheb Khaled, Zidane, Debbouze, il est riche et célèbre, comme Patrick Bruel, né Benguigui à Tlemcen, fils d'institutrice.

Hennaya. Un village sans beauté, insignifiant, trop proche de l'orgueilleuse Tlemcen. Les domaines agricoles alentour étaient prospères. Et pourtant. Pour moi le village fondateur, source et ressource de ce que j'écrirai, de ce que j'écris. Je n'irai pas à Hennaya.

Avec ma classe à Hennaya, année scolaire 1949-1950. Coll. part.

Nadia Kaci à Alger à 8 ou 9 ans et à 7 ans (page de droite). Coll. part.
Page de droite, 2004, photo Ali Mobarek.

17 novembre

Nadia Kaci, comédienne.

Nadia Kaci. Comédienne. Des boucles serrées à la manière assyrienne. Un large regard, le sourire de ses ancêtres kabyles, on voit l'une d'elles à l'image, très jeune, très fine, c'est cette ancêtre-là que je lui offre.

Dernière née d'une famille de sept enfants. Le père à Marseille, la mère à Alger. Nadia quitte l'Algérie à vingt ans (on pense à Souad Massi, à d'autres). Paris sera sa capitale. Cinéma, théâtre. Elle joue dans les films de Nouri Bouzid, Merzak Allouache, Nadir Moknèche, Bertrand Tavernier... Elle interprète une femme médecin dans *Les Suspects* (un film de Kamal Dehane, adapté d'un roman de Tahar Djaout, *Les Vigiles*), le tournage a eu lieu à Alger. Nadia a écrit une pièce de théâtre qu'elle interprète seule. Pour la première fois, elle parle sa langue.

19 novembre

Montluçon, Jacques Grémillet dans la région de Saïda, 1958-1960. Néris-les-Bains, « petit Vichy ». La Marianne de Commentry. À Bourg-Lastic, Vercingétorix, le cimetière des enfants de harkis. Carrés militaire et musulman à Clermont-Ferrand.

Montluçon. Chez Jacques Grémillet, après la rencontre de la veille à la médiathèque, avec Rosie Pinhas-Delpuech. Questionner l'exil, encore une fois, tenter de comprendre comment l'exil permet d'écrire dans la langue première, « maternelle » ou « paternelle » (le français), une littérature étrangère, comme le dit Rosie.

Jacques Grémillet projette deux films super-8. Ses années de guerre en Algérie, 1958-1960, dans la région de Saïda. Dispensaire, opérations, ennui, silence. Comme dans le récit de Claude Schmitt (*L'Empreinte*, réédité en 2004 chez Actes-Sud).

Le régiment d'artillerie occupe une ferme. Au coin des

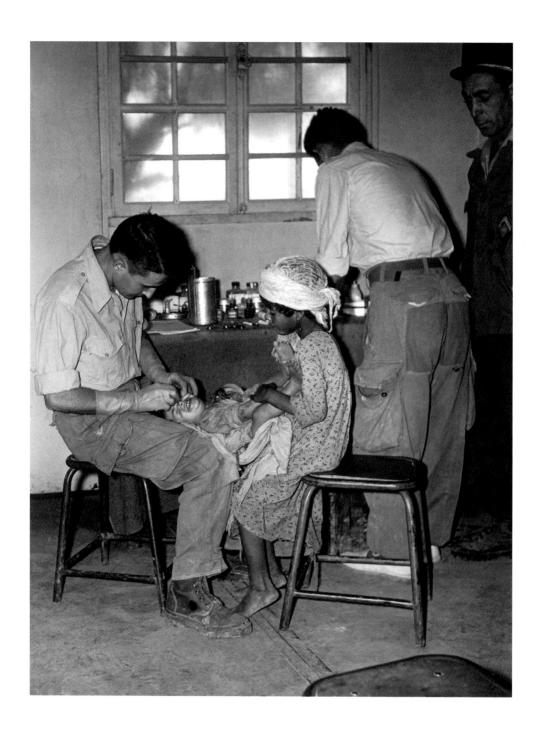

Jacques Grémillet au sud-ouest de Saïda, 1959.
Coll. part.

En haut, Alger, années 50, extrait de carte postale. En bas, extraits de cartes postales des années 50 :
« L'armée de pacification à l'œuvre : première leçon d'écriture par un instituteur rappelé. »
« Ces femmes musulmanes savent qu'elles trouveront auprès des infirmières de la Croix-rouge
conseils, soins, amitié. »

bâtiments, un mirador en bois. Des hommes suspects assis, avant l'interrogatoire de routine. Ils portent tous un turban blanc. Les tentes nomades du camp de regroupement. Misère. Zone interdite. Des Arabes à cheval. Où vont-ils ? Les garçons portent des chéchias. Une petite fille court entre les tentes. Un jeune soldat pèche, patient. Il est seul. Ratisser. Partir en reconnaissance à pied. Terrain accidenté. À la fin de la mission, les soldats reviennent à la base en camion. Un berger (il n'y a plus de bergers) joue de la flûte. Ou un soldat « indigène » ? Sur la route, la coupole blanche d'un marabout dans la steppe. À Saïda, les femmes portent le haïk blanc. Dans les collines, deux paysannes fuient les soldats. Des deux côtés du camion, sur le pare-chocs, on fait monter des fellahs, le camion ne sautera pas.

Une cigogne passe sur un champ de blé. La punition, c'est de dormir entre les barbelés. Des femmes voilées marchent vers la colline. Un dindon et un coq se battent près d'une tente. Un petit âne noir chargé de rondins. Des sacs de grains près des tentes. Une balance à plateaux, vide.

« Dans mon dispensaire, je voyais jusqu'à cinquante personnes par jour. Certains villages acceptaient mes visites, d'autres non. J'ai soigné comme je pouvais… Dans la base, ce qui me frappe aujourd'hui, on ne se parlait pas, on ne se disait rien. On était sept démobilisés dans un compartiment le jour du retour, c'est là qu'on a tout raconté, chacun sa guerre, dans ce huis clos. »

Néris-les-Bains, « petit Vichy » mauresque. Je pense à la chapelle algérienne (la villa a été détruite en 1965) de L'Herbe (Lège-Cap Ferret), elle appartient aujourd'hui à l'Archevêché. Sur la place Jean-Moulin, un palais arabe dans les couleurs de l'Allier. C'était des bains ? La grande maison est muette et le quartier désert. Il est midi.

Dans la mairie de Commentry, Patrice photographie la

De haut en bas, ancien bâtiment thermal de Néris-les-Bains et la chapelle algérienne de L'Herbe (Lège-Cap-Ferret), photo Pauline Wellhoff.

salle d'apparat. Les fresques de Marc Saint-Saëns (1939) représentent les âges de la vie. À la place d'honneur, une Marianne géante en majesté. Combien de Marianne en France, dans les plus petits villages ? Autant que de Vierge Marie ?

Je n'étais pas allée à Bourg-Lastic. J'avais lu les récits d'enfance des filles de harkis, un lecteur m'en avait parlé. Je suis allée à Bourg-Lastic avec Patrice. J'ai vu la plaque commémorative « EN HOMMAGE À CES HOMMES QUI ONT BIEN SERVI LA FRANCE » près de Gilma qui jouxte le village, là où les familles de harkis ont habité des maisons après les tentes militaires du camp. Six cents tentes. Quatre mille huit cents personnes de juin à septembre 1962. Elles arrivent d'Algérie. Camions militaires, le port, le bateau à fond de cale, Marseille, le train, des heures et des heures jusqu'au Puy-de-Dôme, les tentes montées à la hâte dans les bois de Bourg-Lastic. Ces familles ont échappé au massacre des harkis sur la rive algérienne, en France elles vivront l'humiliation des camps et de la relégation. Des hommes travailleront aux usines *Michelin*, d'autres dans le forestage. Seize enfants meurent, des enfants tout petits, des enfants mort-nés : dans la clairière, où les jeunes mères ont été hébergées, un cimetière entretenu par les militaires du 92ᵉ Régiment d'infanterie de Clermont-Ferrand. L'adjudant-chef Milatz (il est né à Oran, son père a servi dans la Légion en Indochine et en Algérie) nous accueille à l'entrée de la base près des emblèmes : trois croissants bleu-blanc-rouge symbolisent l'armée d'Afrique, et un portrait de Vercingétorix. À Clermont-Ferrand, on piétine des médaillons en métal de Vercingétorix, rue du Port, jusqu'à la place du Mazet. Il a plu. Il pleut. Dans une jeep centenaire, nous cahotons jusqu'au cimetière. Onze stèles blanches, le même verset sur chacune. Écrits à la main en lettres vertes, les noms des

Emblèmes à l'entrée du camp militaire de Bourg-Lastic.

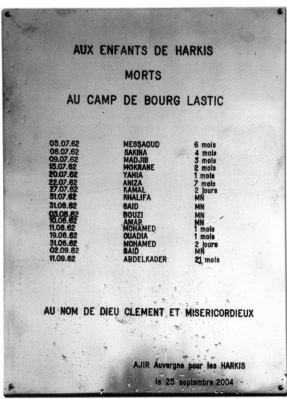

AJIR

EN SOUVENIR
DES HARKIS ET LEURS FAMILLES

QUI ONT ETE ACCUEILLIS
DANS LA COMMUNE DE BOURG LASTIC
DE 1962 A 1972
FUYANT LES MASSACRES
D'APRES LE CESSEZ-LE-FEU
EN ALGERIE

EN HOMMAGE A CES HOMMES
QUI ONT BIEN SERVI LA FRANCE

AUX ENFANTS DE HARKIS

MORTS

AU CAMP DE BOURG LASTIC

05.07.62	MESSAOUD	6 mois
06.07.62	SAKINA	4 mois
09.07.62	MADJIB	3 mois
15.07.62	MOKRANE	2 mois
20.07.62	YAHIA	1 mois
22.07.62	ANIZA	7 mois
27.07.62	KAMAL	2 jours
31.07.62	KHALIFA	MN
31.08.62	SAID	MN
03.08.62	BOUZI	MN
10.08.62	AMAR	MN
11.08.62	MOHAMED	1 mois
19.08.62	OUADIA	1 mois
31.08.62	MOHAMED	2 jours
02.09.62	SAID	MN
11.09.62	ABDELKADER	21 mois

AU NOM DE DIEU CLEMENT ET MISERICORDIEUX

AJIR Auvergne pour les HARKIS
le 25 septembre 2004

Dans le camp militaire de Bourg-Lastic, le cimetière des enfants de harkis
où l'adjudant-chef Milatz m'a conduite en jeep.

Clermont-Ferrand : en haut à gauche, carré des « maquisards » avec quelques tombes musulmanes, en bas, carré militaire du cimetière de Montferrand ; à droite, carré musulman du cimetière Crouel.

Médaillon en métal
incrusté dans le sol,
rue du Port à
Clermont-Ferrand.

seize enfants morts sur une stèle centrale. Les stèles en bois, délabrées, ont été remplacées. Au siège de l'AJIR (Association justice information réparation), une ancienne stèle en bois, pour mémoire. Marchant d'une stèle à l'autre, j'entends les lieder de Mahler pour les enfants morts, chantés par Kathleen Ferrier, et les mots chuchotés de la prière musulmane.

Cimetières, encore. À Clermont-Ferrand. Des lieux de la mémoire algérienne (autant que les usines, chantiers, bidonvilles, corons, cités turbulentes). Deux carrés militaires : la Grande Guerre avec stèles musulmanes au milieu des croix, la guerre 39-45 avec tombes de « maquisards », drapeaux en faisceaux et, sur quelques stèles, des noms arabes. La mort musulmane en terre chrétienne et laïque : un carré musulman à Crouel entouré d'ifs taillés, à l'écart non par souci d'exclusion mais parce que l'orientation des tombes vers la Mecque est particulière et ne s'inscrit pas dans l'ordre des cimetières de France.

20 et 21 novembre

Clermont-Ferrand et la Biennale du carnet de voyage. La Singer *de Contigny. Les* chibanis *de la place du Mazet.*

Bleu autour à la 5ᵉ Biennale du carnet de voyage à Clermont-Ferrand. Le voyage en France, autour de la Méditerranée, jamais plus loin, la mer blanche ma ligne de démarcation, c'est ainsi, c'est ma maladie. Anne Garde, photographe, et Laure Vernière, écrivain (née à Alger), ont voyagé en Algérie en 1981, Anne me montrera ses photos.

Pierre Thomas me parle d'une plaque publicitaire *Singer* semblable à celle de Paussac en Dordogne. Près de Saint-Pourçain-sur-Sioule, à Contigny sur une baraque en planches, elle est toujours là. Il m'enverra la photo.

Dimanche matin, je remonte la rue du Port à Clermont-Ferrand. Place du Mazet, les *chibanis* de Philippe Bobelay et Olivier Daubard* arrivent par deux ou trois, toque en peluche brune, calotte blanche, bonnet de laine, ce n'est pas parce qu'il fait froid. Sur la place, des bancs de pierre sans dossier, inhospitaliers. Ils s'ennuient. Iront-ils jusqu'au marché où se vendent des portables avec croissant et étoile dorés sur fond rouge ?

Fin novembre

À Chaumont en Haute-Marne, « Les Méditerranées » selon Hubert Haddad au salon du livre, les rois mages du Musée de la crèche, la cigogne de la libraire.

À Chaumont, en Haute-Marne, pour le 2ᵉ salon du livre, « Méditerranées », conçu par Hubert Haddad. Je suis seule au Musée de la crèche. Les rois mages peuplent rochers et ruines du XVIIIᵉ siècle napolitain. Profusion de turbans orientaux avec perles et pierreries (ils ressemblent à ceux des dignitaires de l'empire ottoman et des tableaux de Carpaccio), pantalons de soie et gilets brodés, les rois nègres et arabes avec leurs esclaves se pressent autour de Marie, les plis rouges de sa robe. L'Orient habite Chaumont.

La libraire de la librairie *Apostrophe*, où Hubert officie, m'offre une cigogne de couture. La coutellerie de Nogent *Henry Frères* fabrique de ces jolis ciseaux de petite fille. Je les ai collectionnés et je les ai perdus.

Au *Buffet de la gare*, trois Algériens. Sont-ils algériens ? (Les forestiers de la région sont turcs, à Saint-Dizier des Algériens ont travaillé dans les usines de fonderie comme à Longwy.) Ils jouent au billard, l'ennui sournois des dimanches après-midi.

J'emporte le nom de mon père calligraphié en arabe par Mohammed Idali, le Maghreb en Bretagne.

*Auteurs de *Chibanis*
(Bleu autour, 2002).

113

Calligraphie de Mohammed Idali,
Chaumont, 2004.

Début décembre

Khédija Seddiki.

Khédija Seddiki, peintre-licière. Je la retrouve à Sèvres, dans son atelier, après Sarreguemines où elle m'était apparue, belle des Hauts-Plateaux, sous les palmes du salon de l'hôtel, elle aurait pu être photographiée par Geiser dans un studio algérois.

Khédija Seddiki, 2004.
Coll. part.

Khédija dit qu'elle ne se sépare jamais d'un petit cadre de tissage, son fétiche. De mère en fille jusqu'à Khédija, les femmes sont tisserandes dans la tribu des Ouled Sidi Cheikh. Tribu maraboutique, puissante, insoumise, jusqu'en 1883 où elle signe sa reddition après plusieurs révoltes contre l'occupant qui fonde Géryville en 1852, dépendant des territoires du Sud. Les Pères Blancs, dans leur ouvroir, font fabriquer les tapis et les tissus du djebel Amour. Géryville, aujourd'hui El Bayadh, est le village natal de Khédija.

Dans la maison de sa mère, un métier à tisser. Comme sa propre mère, la plus fameuse tisserande de la région, c'est elle qui transmet la tradition du tissage amourien, le même depuis des siècles. L'aïeule est aussi sage-femme et elle tient à domicile un petit atelier de broderie et de couture, la machine à coudre *Singer* n'a pas remplacé le métier à tisser.

Le père de Khédija, « Chahid », meurt en 1961 au maquis. L'oncle prend en charge la famille, quatre filles et un garçon qui sera médecin à Saïda. Khédija perfectionne son savoir de licière à l'ouvroir des Sœurs Blanches (qui parlent couramment arabe) avant l'École des beaux-arts à Oran où s'installe la famille après la mort de sa mère.

Khédija retrouvera l'une des Sœurs de l'ouvroir, Simone Philippon, à Roubaix, sa ville natale, lors d'une rencontre d'artistes en 1983-84. Elle oublie l'art du tissage jusqu'au concours des Beaux-Arts d'Alger. Elle est la première à exécuter une tapisserie artistique, se réappropriant ainsi Mère et Terre.

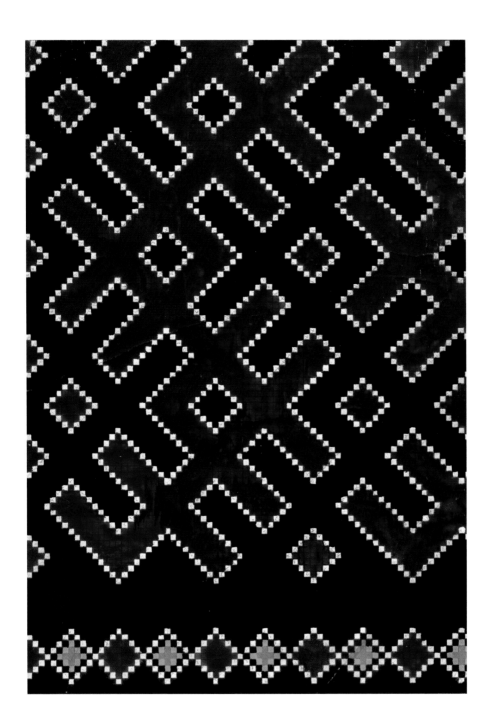

Dessin original d'un motif traditionnel. Tapis du Djebel Amour.
Khédija Seddiki, El Bayadh, années 70.

En haut, la villa Abd-el-Tif, résidence d'artistes, Alger, 1988.
En bas, Khédija (à droite) avec sa mère, ses sœurs et sa grand-mère, Aïn-Ourka, années 70. Coll. part.

Les Gobelins,
Paris XIIIᵉ,
1992-1994.
Sur la banderole :
« Non à la
délocalisation,
non au
démantèlement. »

Fin de l'amnésie. À Bruxelles, elle s'inscrit à l'Académie des beaux-arts en même temps qu'à l'Académie des arts et métiers. De retour à Alger, en 1988, en hommage à Picasso, elle présente une œuvre tissée, *Ombre et lumière*. Résidente à la Villa Abd-el-Tif, qui a accueilli des peintres durant des décennies, Khédija met en place des ateliers pour les enfants à l'École des beaux-arts, elle tient à transmettre ce qui lui a été transmis dans la maison familiale et les institutions européennes où elle poursuit son apprentissage. De 1991 à 1994, elle tisse aux Gobelins dans le XIIIᵉ arrondissement à Paris, comme les filles des tisserandes de Lodève, exilées d'Aflou dans le djebel Amour, employées à la manufacture de Lodève.

Khédija prépare son retour à Alger, lorsque le directeur de l'École supérieure des beaux-arts, Ahmed Asselah, et son fils Rabah sont assassinés par le GIA en 1994 dans l'école même (Anissa Asselah fondera une association Asselah à Paris avant de mourir deux ans plus tard à Alger). Khédija reste en France, prépare un mémoire sur le tissage traditionnel en Algérie, découvre la symbolique des motifs géométriques amouriens rappelant les éléments naturels, l'eau, la terre, le feu, les cycles des saisons et de la vie, la fécondité, la perfection divine... La trame serait liée à la réflexion, la chaîne, à l'inspiration.

C'est une nuit d'exil, à Sèvres, dans une chambre ouverte sur le ciel et les étoiles, que Khédija reçoit la lumière (elle raconte ainsi ce moment de sa vie). Désormais, ses tableaux croiseront le fil musical du tissage et les couleurs de la peinture.

3 décembre

Le livre de Rachid Koraïchi, Les Sept dormants.

Je reçois ce matin le livre de Rachid Koraïchi, *Les Sept dormants* (Actes Sud) en hommage aux sept moines de Tibhirine assassinés en Algérie, près de Médéa. Un très beau livre qui rassemble sept écrivains, John Berger, Michel

Butor, Hélène Cixous, Sylvie Germain, Nancy Huston, Alberto Manguel et moi. Les textes traduits et calligraphiés en arabe sont accompagnés des gravures sur cuivre de Rachid Koraïchi. Rachid a tenu son pari, comme toujours.

7 décembre

Rue Sarrette, le marchand de tapis.

Rue Sarrette à Paris. Un marchand de tapis. Il doit s'appeler Ali comme celui de *La Seine était rouge*. Sur l'épaule droite une pièce façon zèbre, sur la gauche une autre façon tigre. Il est tête nue, il ne porte pas la blouse grise qui est passée des instituteurs aux épiciers puis aux marchands de tapis. Une femme arrive à la porte de son immeuble, il lui parle, elle l'écoute, il la suit dans le vestibule, elle ferme la porte. Ensuite ?

8 et 9 décembre

Nord–Pas-de-Calais. Le Musée de la mine à Lewarde. La catastrophe de Courrières (1906), la migration kabyle. Le Meeting, du peintre Édouard Pignon. Le Nord messaliste. Les cafés-hôtels algériens. Slimane Tir, la Marche des Beurs, 1983 à Roubaix. Les mosquées. L'Algérien de Blida. Le Cateau-Cambrésis, « Matisse et la couleur des tissus », une famille de tisserands, Shérazade et Gilles. Quérénaing, Le Café de la Paix, la guerre d'Algérie, Arzew, les fusiliers-marins, les Aurès, le 2ᵉ Bureau. La Maison de l'Auvergne. Dans l'Allier, les reliques de Youssouf, commandant de spahis à Oran en 1841. Longwy dans Histoires d'Elles. La marche des enfants.

Nord-Pas-de-Calais. Le Musée de la mine à Lewarde, au centre d'archives une exposition. Peu de photos d'Algériens. C'est après la catastrophe de Courrières, le 10 mars 1906, que la Compagnie des mines fait appel à des Kabyles. Je revois *L'Ouvrier mort* et *Le Meeting* du peintre Edouard Pignon (parmi les derniers livres qui lui sont consacrés, *Edouard Pignon* de Philippe Bouchet (Ides et Calendes, 2004). La migration algérienne subira les fluctuations des deux guerres mondiales et de la guerre d'Algérie. On se rappelle Amer le « Kabyle du Nord » de Mouloud Feraoun (*La Terre et le sang*, Seuil, 1953).

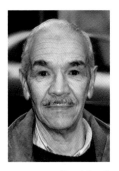

Un *chibani*,
Blida, Roubaix, 2004.

119

Zeggane Saïd fils mohammed

Né le 1891, à tizi-ouzou algeri

L. 13 — 10-43. 4000 Plouvier-Dehindt, Hénin 8.521

Matricules	ENTRÉES	SORTIES
98.129 10	23 x^bre 1913	16 Janvier 1914
10.027 3	15 Juillet 1914	6 août 1914 liuret
		Rep. liuret le 20-5-1938

Liuret envoyé à l'Intressé le 20-5-1938 à tizi ouzou algeri

Ainouz Ahmed fils Saïd

Né le vers 1891, à Alger

L. 13. 7.41. 4.000. Plouvier-Dehindt, Hénin 43.570

Matricules	ENTRÉES	SORTIES
820 33 4	27 mai 1912	8 Mai 1913
97.480 6	3 x^bre 1913	10 Decembre 1913
94.194 3	24 Janvier 1914	16 Août 1914 liuret

Fiches individuelles de deux Algériens venus travailler dans les mines du Nord.
Coll. Association nationale pour la gestion des retraités.

Le Meeting, 1933.
Huile sur toile (90 cm x 72 cm) de Édouard Pignon.

Il rejoint un oncle mineur qui l'initie à la mine, aux femmes, à la boisson, avant son engagement dans la guerre de 1914-1918. Jean-René Genty rappelle dans *Tous gueules noires*, histoire de l'immigration dans le bassin minier du Nord-Pas-de-Calais (collection « Mémoires de Gaillette », n° 8, 2004, Centre historique minier du Nord-Pas-de-Calais), la forte implantation messaliste dans le bassin minier dès 1945. Le Nord restera fidèle à Messali Hadj (Benjamin Stora, *Dictionnaire biographique de militants nationalistes algériens*, L'Harmattan, 1985). Né à Tlemcen en 1898, Messali Hadj se retrouve en France en 1923 où il fonde l'Étoile nord-africaine puis le PPA (Parti du peuple algérien) en 1937. Durant son incarcération de 1938 à 1945, il crée le MTLD (Mouvement pour le triomphe des libertés démocratiques). En 1954, c'est la crise avec le FLN. Le Nord minier souffrira d'une véritable guerre civile entre frontistes (FLN) et messalistes (MNA). Le père du journaliste et écrivain Lakhdar Bélaïd (*Sérail Killers* et *Takfir Sentinelle*, polars *made in* Roubaix, Série noire, Gallimard), né à Roubaix, a été un militant messaliste. Une guerre qui deviendra « la guerre des cafés » où les Algériens se retrouvent, regroupés par régions, la Kabylie, Tizi-Ouzou, Dra-el-Mizan, et l'Ouest, Maghnia, Nédroma. Ils vivent dans des cafés-hôtels une vie communautaire, des chanteurs ambulants passent, ils jouent aux dominos, discutent, organisent la résistance nationaliste… Après 1945, les Houillères construisent des camps d'hébergement, « colonies » administrées par d'anciens militaires. Une mosquée est financée en 1952 à la cité des Six-Drèves à Libercourt.

Nordine Amara, de Dra-el-Mizan et Valenciennes, jeune professeur d'histoire que je rencontre à Lille, travaille sur les familles algériennes et la guerre d'Algérie dans le Nord-Pas-de-Calais. Il dit que ce travail est nécessaire pour lui-même, pour tous les autres. Dans sa famille (sa mère a eu quatorze enfants), l'école est une valeur. Sa mère n'a pas peur de l'institution scolaire qu'elle affronte. Comme celle de Magyd

Wallers-Arenberg, 2004.

Cherfi, le musicien du groupe Zebda : pour ses enfants, elle prend le chemin de l'école « comme un pèlerinage », le livre du fils est un hommage à sa mère (*Livret de famille*, récits, Actes Sud, 2004).

Compagnons de traverse, avec Patrice, nous poursuivons le voyage du Nord. La ferme de Félix, la belle brique rouge de la maison de ferme et des bâtiments, le village qu'on appelle « la cité marocaine » Wallers-Arenberg, l'école ancienne FILLES-GARÇONS, les paraboles qui s'inclinent sur la rue, les labours tête-de-nègre, les betteraves blanches en larges tas au bord des champs, dans les villages traversés toujours le bar-tabac-*PMU-Loto* et la pâle lumière à l'intérieur.

Roubaix. Les Archives du monde du travail, où Janine Hubaut nous raconte les colonies de vacances des enfants de Médéa organisées par l'Amicale laïque. Si elle retrouve les photos des petits Algériens de ces années 60…

C'est à Roubaix en 1983 que j'ai rencontré Slimane Tir, élu municipal, qui dirige aujourd'hui *Radio Pastel*. J'étais allée à Roubaix pour la Marche des Beurs. Je reconnais la voix de Slimane au téléphone.

Le hammam *L'Alhambra* « unique dans la région » offre une « gamme de produits orientaux », « la sultane de Sabah ». La gardienne nous interdit la photographie. Le gardien de la mosquée nous interdit la mosquée. Une entrée pour les femmes, une entrée pour les hommes. Le quotidien *Libération* signale dans son reportage « La tentation salafiste » (8 décembre 2004) les zones d'influence du salafisme : à Roubaix, la mosquée Archimède.

Au Cateau-Cambrésis, « Matisse et la couleur des tissus ». Il y a quelques années avec D. Et Shérazade* dans le camion bleu-Gauloises avec Gilles le routier. Elle lui raconte ses odalisques et ses compagnons de fugue, elle lui raconte ces garçons et ces filles trop frisés, comme elle, et qu'il ne connaît pas. Elle lui demande de s'arrêter au musée Matisse. « C'est

Wallers-Arenberg, 2004.

*Shérazade, trilogie romanesque de l'auteur (Stock, 1982, 1985, 1991).

qui Matisse ? » « Il a peint des odalisques, Julien les aime. » « C'est qui Julien ?… »

Matisse aimait l'art musulman, andalou et les tissus qu'il a collectionnés. L'exposition coloniale de Marseille de 1922 l'inspire pour peindre ses odalisques à Nice, dans diverses chambres d'hôtel. Éclat, profusion des couleurs et des motifs qui se juxtaposent sans s'annuler, teintures nord-africaines, tapis algériens dès 1906. Il pose ses femmes là où elles sont belles. Je ne sais pas ce que Gilles le routier a pensé des odalisques de Matisse. Shérazade a été émue, pensant à Julien et à sa folie odalisque. Elle ne savait pas, moi non plus, que la famille de Matisse, des tisserands de père en fils, a transmis sa passion textile au peintre. À Bohain, les paysans tissaient à domicile comme les tisserandes de tapis au Maghreb. Matisse se rappelle le métier à tisser dans les maisons de village et le bruit musical du travail.

Je lis dans *La Voix du Nord* que des ateliers de confection dans la ville du textile, à Roubaix, emploient et exploitent des ouvrières étrangères qui travaillent pour des grandes marques. Ça s'appelle du « travail au sifflet ».

Avant le Cateau-Cambrésis, Patrice s'arrête au *Café de la Paix*, à Quérénaing, près de Solesmes. Si Patrice n'avait pas été là, ils n'auraient pas parlé. C'est un petit café-bazar avec journaux et provisions, conserves, boissons de secours, café-tabac au bord de la route. Des hommes assis boivent des ballons de rouge. Ils ne se parlent pas. Comme souvent, on fait semblant de ne pas voir les étrangers qui entrent mais, *Le Monde* plié en quatre, ils le remarquent. Patrice sait les intéresser pour qu'ils parlent d'eux. Depuis vingt ans retraités de la métallurgie, au bon moment, une bonne pension. « Sans compter les deux années de vacances », dit le patron jeune et gras, de beaux yeux verts. « Des vacances ? La guerre, oui », dit l'un d'eux. La guerre d'Algérie. L'un vers Arzew dans les fusiliers-marins, il a travaillé avec la Légion. « C'était pas beau ce qu'on faisait, je

Dessin Henri Matisse (17 cm x 23 cm).
Coll. part.

Quézénaing,
Nord Pas-de-Calais,
2004.

veux pas y penser, j'en parle jamais, y'a des choses, je les dirai pas à ma femme ni à mes enfants. Pourquoi aller raconter ces horreurs, à quoi ça sert ? Moi, la guerre, j'ai pas aimé ça. J'étais malheureux… » L'autre dans les Aurès jusqu'à Biskra. « Le 2ᵉ Bureau. On plaisantait pas. J'ai fait la corvée de bois. Les prisonniers on les attachait avec des fils de fer barbelé et on faisait « le mur blanc » qu'on appelait. C'était à Biskra, on mettait les hommes debout contre un mur tête nue, ils avaient toujours quelque chose sur la tête, on leur faisait enlever. Ils restaient là au soleil sans boire, sans manger, jusqu'à ce qu'ils crachent le morceau, sinon… Bien sûr ils mouraient, qu'est-ce que vous croyez ? » L'un allait en opération, l'autre s'occupait d'obtenir des renseignements. Ils ont vu des choses pas belles. « La guerre, c'est le pire. Il faut plus qu'il y ait de guerre. » « Des photos de là-bas, oui, on en a. Moi j'en ai. J'avais un appareil que la famille m'avait envoyé. J'en ai chez moi. Je les montre pas. Pour faire quoi ? Elles sont je sais où, personne sait, elles partiront avec moi, il restera rien, que de la cendre. Une fois, à la mairie, ils ont fait une exposition. Je les ai pas données. Je suis allé, lui aussi, à la cérémonie pour le nouveau monument à trois cents mètres à côté de l'école, HOMMAGE AUX COMBATTANTS D'AFRIQUE DU NORD 1952-1962, c'est nous et ceux qui sont pas revenus. Dans la commune, on a pas eu de morts en Algérie mais dans certains endroits ils en ont eu plus d'un. Non, moi je veux pas raconter, ça sert à rien. » « Il faut pas oublier que c'était pas chez nous après tout, on les a colonisés, alors c'est normal, ils se sont défendus… » Celui qui veut que ses photos brûlent avec lui s'en va, il dit : « Il faut faire l'Europe, maintenant. » C'est après le *Café de la Paix* qu'on a vu les odalisques de Matisse.

Retour à Paris. Le 9 au soir, rencontre à la Maison de l'Auvergne à Paris, avec Jean-Michel Belorgey. Il parle du général Youssouf, héros de la conquête de l'Algérie, capitaine puis commandant de spahis souvent médaillé, ennemi acharné d'Abd el-Kader et des insurgés kabyles. Youssouf, enlevé par des corsaires tunisiens, séduit le bey de Tunis qui le fait instruire en turc, en arabe, en espagnol. On le retrouve dans l'armée française en 1830. Jean-Michel évoque ce soir-là la présence de Youssouf dans l'Allier à travers diverses reliques. Quelques jours plus tard, en réponse à mes questions, Jean-Michel m'écrit :

« Leïla,

J'étais en campagne électorale à Arfeuilles ; j'ai sympathisé avec un vieux couple d'intellectuels ayant fait retour à la terre après des détours exotiques ; et, dans la roulotte, implantée dans leur jardin entre poulets, cochons, âne et chiens, il y avait les trois souvenirs que j'ai dits de Youssouf (qui n'a jamais, je pense, mis les pieds dans l'Allier). Provenance non mysté-rieuse : il avait épousé une femme du nom de Weyer, Adèle je crois, et ses souvenirs se sont transmis par la famille de sa femme jusqu'entre les mains de mon amie, Françoise Constantin-Weyer, la fille de l'écrivain. Elle n'habite plus Arfeuilles mais vit toujours dans l'Allier, hélas sans son compagnon qui est mort. Bien à toi. »

Je le rappelle. Quels objets ? Voici : un sabre, une Légion d'honneur, un Coran, une tabatière offerte par l'Empereur (mais ce n'est pas sûr).

J'ai feuilleté le journal *Histoires d'Elles*, n° 14, juillet-août 1979. J'étais allée à Longwy avec Dominique Doan et Catherine Leguay. Les enfants de Longwy, déguisés en sidé-rurgistes et en Lorraines, avaient marché pour que « vive Longwy », « le pays haut ». Une petite fille algérienne d'Aubervilliers avait passé trois jours dans une famille lorraine, une maison avec un jardin, « là où j'habite c'est tout des blocs ». Elle a emporté un maillot blanc LONGWY VIVRA, bleu outre-mer. Une belle double page dans le journal avec « les flammes de l'espoir ». Longwy en décembre 2004 ? Si je ne vais pas en Algérie l'année prochaine, j'irai à Longwy.

Roubaix,
2004.

15 décembre

Ajaccio. Manufacture de tabacs.

Josette Reydet (de *Littera 05*, revue littéraire de Gap où je retrouve des écrivains invités en 2001, Amina Saïd, Ghislain Ripault, Albert Bensoussan, et, en 2003, Mohamed Kacimi dans le numéro 9 de novembre 2004) m'envoie des photos d'Ajaccio : la manufacture de tabacs désaffectée. Elle n'a donc pas disparu, je l'avais photographiée il y a quelques années lorsque l'été se passait à Cargèse avec Sébastien et Ferdinand. Les cigarettes JOB que le Maghreb tout entier fumait ont été fabriquées à Ajaccio ? Josette le suggère. Existent-elles encore ? Les lettres arabes n'ont pas été maculées par la haine de certains Corses contre les Marocains qui vivent et travaillent dans l'île. Déjà il y a vingt ans, des Corses n'aimaient pas les Marocains de Corse.

16 décembre

Retour à la Courneuve. La cité de Fatima. « Les 4000 » a disparu. Amar Bellili et l'association ASAD au mail de Fontenay. « J'aime pas qu'on me parle d'intégration. »

La Courneuve. Les 4000. Fatima et ses amies algériennes au square*. Elles habitaient la barre « Renoir » ? Je ne l'ai pas su. Il y a vingt ans, assises sur le banc vert, non loin des bavardages et des gestes des femmes, mères, filles, sœurs, cousines, voisines, je les écoutais. Se rappelleraient-elles aujourd'hui la barre « Renoir » disparue (un 8 juin 2000 à 13 heures 30, le « Paquebot » a implosé, Debussy en 1986, Ravel et Pressov en 2002) ? En France, entre 2000 et 2004, plus d'une trentaine d'opérations de démolition : Bourges, quartier Nord ; Issoudun, Terres-Rouges ; Les Mureaux, Vigne blanche, quartier des Musiciens ; Lillebonne, Coubermoulins ; Rouen, les pépinières, la Sablière ; Saint-Chamond, Sonacotra ; Saint-Étienne, Montchovet, « Muraille de Chine » ; Toulouse, Bagatelle ; Watreloos,

*Fatima
ou les Algériennes
au square,
roman de l'auteur
(Stock, 1981).

Van-Gogh, Léo-Lagrange… À la Courneuve, les chantiers ont succédé aux chantiers. De GPU (Grand plan d'urbanisme) en GPU, d'une concertation à l'autre, des quartiers ont surgi, des noms nouveaux, on ne parlait plus des 4000. Fatima et les Algériennes ont peut-être pleuré, elles ont caché leur visage, les yeux et les oreilles le jour de la démolition, puis elles ont habité les nouveaux quartiers, d'autres enfants sont nés… Se rappellent-elles la femme assise, muette, pas d'ici, mais elles n'ont rien dit, elles ont bavardé et ri jusqu'à l'heure des petits, les plus grands revenaient de l'école, les sœurs faisaient le chocolat, distribuaient les tartines, la mère arriverait bientôt. Elles parlaient haut et fort, elles chuchotaient aussi dans la langue de la maison natale, le kabyle ou l'arabe, quelques mots de français si elles ne savaient pas le dire dans leur langue. Longtemps, assise sur le bord d'un banc vert, je les ai écoutées, ne comprenant ni l'arabe ni le kabyle. Une petite fille collée au flanc maternel me regardait, ses grands yeux noirs endormis par instants se réveillaient aux éclats de la voix maternelle. Comme si je pouvais lire les histoires des mères dans ses yeux, elle me prêtait son intelligence télépathique.

La barre « Renoir », La Courneuve, 2000.

Fatima, où vit-elle ? Et Dalila ? J'ai suivi en solitaire démolitions, réhabilitations, reconstructions… Je n'étais plus assise sur le banc vert du square. J'ai marché ici et là d'une année à l'autre. Je croisais femmes et filles, mères et filles. Fatima et Dalila porteraient le hijeb ? J'ai pensé que non. Je les ai vues devant la petite mosquée, portail vert et croissants blancs, c'était en l'an 2000. Aujourd'hui, en décembre 2004, Amar Bellili, le frère de Nadia (étudiante en lettres modernes) que j'ai rencontrée au salon du livre de Montreuil en 2001, me raconte son quartier, son association ASAD (Actions de solidarité pour l'autonomie durable) fondée avec quatre jeunes du quartier en 1999 au mail de Fontenay. Amar aime La Courneuve, ses quartiers, ses amis, les enfants pour qui il travaille, avec qui il travaille (aide aux devoirs, accompagnement scolaire, activités sportives, ateliers informatiques…, dans quelques jours chaque enfant de l'ASAD recevra un chèque-livres de 50 euros). Amar s'est inscrit à l'université en Sciences de l'éducation pour travailler un jour à la PJJ (Protection judiciaire de la jeunesse). Comme ses frères et sœurs (ils sont six), il est né à La Courneuve. Son père émigre en 1958 depuis le village natal, Kaa Ouzrou près de Béni-Ourtilane en petite Kabylie, jusqu'à la banlieue parisienne où il travaille dans le bâtiment (son propre père avait émigré en Belgique où il est enterré). Il se marie en Algérie, sa femme habite le village voisin, elle émigre à son tour. Amar apprend l'arabe et les versets à l'école coranique de la mosquée. À la maison, il parle kabyle avec ses parents, français avec ses frères et sœurs. Il dit qu'il ne sait pas l'arabe. Il peut tracer les lettres de l'alphabet, c'est tout. À La Courneuve, une association *Ouverture* enseigne l'arabe le samedi et le dimanche. La mosquée n'est pas loin, à François-Villon (les Comoriens ont leur mosquée, les Indiens la leur, les Africains et Maghrébins aussi, il y a plus de quatre-vingts ethnies à La Courneuve). Enfant, Amar faisait la prière avec sa mère, mais pas dans la bonne direction. Il dit en souriant : « On lui a offert un tapis-boussole, maintenant elle sait… » Il dit aussi que ses parents ne veulent pas entendre parler du carré musulman. « Les musulmans de La Courneuve sont enterrés au cimetière de Bobigny ou au bled. Mes parents cotisent pour là-bas. Tous les six mois, le responsable du village reçoit la cotisation de chaque famille, quand les enfants peuvent payer ils participent. Un jeune est mort dans la cité, on a rapatrié son corps en Algérie. » Le père de Amar ne lui a pas parlé de la guerre d'Algérie. Il a su que le père de sa mère aidait les moudjahiddine de la région. Pas plus. C'est en regardant des reportages à la télé,

La Courneuve, 2000.

des cassettes et des films qu'il a appris un peu. Il a vu le film de Jean-Pierre Lledo sur Henri Alleg, le film sur le 17 octobre 1961 (une rue du 17 OCTOBRE 1961 a été inaugurée en face du centre commercial qui ouvre ce 20 décembre à 17 h 30). *Beur FM* a parlé de la guerre d'Algérie, ça l'intéresse. Il lit, même s'il ne lit pas beaucoup. Il vient de lire *De l'indigène à l'immigré* et *Paris arabe,* « c'est génial ». Il sait que de jeunes hommes de La Courneuve, endoctrinés sont morts dans les maquis islamistes algériens et dans la guérilla urbaine en Irak. Amar n'aime pas du tout qu'on lui parle d'intégration, il est français et musulman. « La question ne devrait pas se poser, si on me la pose c'est qu'on pense que je ne suis pas français, ou pas assez. C'est quoi être français ? Moi je dis que, en France, aujourd'hui, on peut être français et musulman, avec des parents algériens ou africains ou comoriens… Comme beaucoup dans nos quartiers. »

En bordure du nouveau centre commercial, La Courneuve, décembre 2004.

Que l'Observatoire contre les discriminations mette en pratique sur le terrain ses principes, ils concernent tous les enfants de toutes les immigrations, des fils et des filles du pauvre, des fils et des filles du peuple français et de la République française. La France fera ainsi l'économie d'une « discrimination positive » au service d'une petite élite, elle-même supplétive d'une République néocoloniale.

17 décembre

La lettre de Behja Traversac. Son Algérie en France, « elle est en moi l'autre moi ».

Je reçois ce matin une lettre de Behja Traversac qui a fondé avec Marie-Noël Arras, Maïssa Bey et Dominique Le Boucher la revue *Étoiles d'encre* et les éditions *Chèvrefeuille étoilée,* diffusées en France et en Algérie, où habitent Marie-Noël et Maïssa. Behja me dit ses Algéries en France.

« Chère Leïla,

Il m'est arrivé si souvent de songer à cette Algérie de ma grand-mère maternelle et à sa métamorphose. Son mari mort, elle a quitté un jour le *haouch* collectif partagé avec les co-épouses à Aïn Mehbed[1] pour une maison chemin Fontaine Bleue à Alger. Elle incarnait pour moi ces personnages féminins de Delacroix. Avec ses foulards à franges, ses haïks en soie et sa passion indestructible d'Alger, elle, une fille du Sud. Elle s'est "citadinisée" de façon parfaite, sans affectation et sans faute de goût. J'aimais ces visites chez elle qui nous contait Alger avec cet accent mélodieux du sud que nul n'a réussi à lui voler. Je me souviens quand on allait la voir en montrant douce- ment "el boulevard"[2] comme elle disait. Quand elle disait "j'ai versé un tapis sur le sol"[3], je me demandais, enfant, comment on pouvait "verser" un corps solide aussi lourd qu'un tapis. J'imaginais un grand liquide mosaïque se déversant dans la pièce et dont j'essayais en vain de retenir les flots de mes mains. "Verser un tapis", quel symbo- lisme ! Mon amour des tapis viendrait-il de là ?

Et cette autre Algérie qu'incarnait mon père qui a passionnément aimé la terre de ses ancêtres. Il disait qu'elle était à nulle autre pareille. Comment ne l'aurais-je pas cru ? Il l'a tellement explorée, lui, l'homme de l'Ouest, le chef de tribu, l'infatigable cavalier. Comment retrouver, Leïla, les odeurs disparues respirées en sa compagnie dans les *harch* des Béni-Ouassine ? Celles qui se sont incrustées de façon indélébile dans le creuset de mon enfance, sous la tente ornée de *jerbis*[4] neufs pour son passage : odeurs de menthe, de *msémen*[5], de beurre frais, d'alvéoles de miel… Champs de coquelicots, sourires d'enfants étonnés, femmes princières dans leurs offrandes. Mais il était aussi, mon père, un amoureux impénitent de sa capitale. Il aimait y promener ses burnous et son cigare et son petit

1. Localité près de Djelfa, aux portes du Sud algérien.

2. Ex-boulevard Bru, aujourd'hui boulevard des Martyrs.

3. Traduction édulcorée de l'arabe.

4. Tapis fin et ras aux multiples couleurs.

5. Crêpes feuilletées au beurre.

sourire en coin qui scellait sa secrète entente avec la ville. Aujourd'hui encore, je n'y passe jamais sans penser à lui.

Comment te dire ma mère, Leïla ? Elle déménageait, indifférente à la perte des objets, des meubles et des tapis. Sans regret apparent, sans état d'âme visible. Elle était rebelle aux ancrages, aux lieux pour toujours. Ces nomades-là aimaient cheminer sans jamais s'arrêter. Ils n'aimaient que les horizons sans frontières, connaissaient les noms hors de mémoire, le signe des vents et des pluies, l'humeur du ciel. Étrangère partout où elle allait, elle aimait l'étranger. Aimait à le découvrir. C'est elle, la première, qui a aimé mon mari, l'étranger, qui s'est reconnu en elle, lui le Parisien dont les origines s'enracinent en Corrèze. Ses pérégrinations et donc les nôtres, les miennes, ouvraient au large et sa communion avec le *large* suffisait à ses rêves de voyage hors de sa terre.

Comment dire l'après-indépendance ? Dans une voiture sûrement déglinguée, j'entends encore la voix de Nourredine Saâdi chantant avec un autre copain *L'Auvergnat* de Brassens. C'est étrange, je ne me souviens pas des autres chansons que nous avons partagées sur cette route et qui nous menait à Alger. Nous avions tous moins de vingt ans. Nous nous sentions si forts de nos convictions et nous ne savions pas notre fragilité. Nous ne savions pas nos exils à venir. Pour ce souvenir-là, pour l'homme qu'il est, j'ai une immense tendresse pour Nono. Il incarne une certaine Algérie.

Au creux de mes Algéries, mes enfants. Moi, la femme des choix hybrides, j'aime qu'ils portent l'essence du multiple, le pacte de la *fraternité*. Avec leur arabe hésitant, leur allure d'entre deux eaux, ils sont mon Algérie quotidienne. Elle fut la nacelle de leurs premiers pas et de leurs premiers mots. Rien ni personne ne peut effacer les noms des rues de l'Alger qui les a accueillis. Ni les ostracismes,

En haut, Zohra Drif (veuve Bitat). Photo envoyée à Behja depuis la prison de Fresnes (fin des années 50). Condamnée à mort, la militante indépendantiste n'a pas été éxécutée. Au milieu, Zoubeida Benchérif, fille du bachagha Ben-Chérif Si Ahmed de Djelfa, la mère de Behja. En bas, Fatima Farraji, la nourrice de Behja.

ni la bêtise, ni les égratignures... ni le temps, ni l'éloignement. C'est là qu'ils ont acquis ce regard ample d'enfants du monde qui ne voit ni les couleurs de peau, ni les identités figées, ni les idées sans retour.

Pas fétichiste pour un sou, Leïla, j'ai pourtant voulu et réussi — et Dieu que cela fut difficile — à importer ici où je vis désormais quelques "reliques" de ce si lointain et si proche passé. Elles meublent ma maison. Elles me parlent de mon père, de ses voyages au Maroc, en Syrie, en France... Elles accompagnent ma mémoire. Elles racontent l'indocilité de ma mère, elles portent chacune la marque d'un usage, d'une histoire, de plusieurs existences.

Je ne peux pas parler de mes Algéries en France sans évoquer bien sûr ce à quoi je consacre actuellement tant de mon temps et de mon énergie. L'édition que j'ai créée avec Dominique, Marie-Noël et Maïssa. Ce champ où se rencontrent les écrits de femmes, où s'élèvent leurs voix d'orages, leurs insoumissions, leurs secrets. Cinq ans déjà au cœur de la France et de l'Algérie.

Et puis, je voulais te dire, Leïla, qu'étrangement quelques lieux de ton enfance, surtout Port Say [6] où j'ai passé une grande partie des mes étés d'enfant, à une cinquantaine de kilomètres du lieu où je suis née, et Hennaya si proche, me sont terriblement familiers. Je n'ai jamais retrouvé l'odeur des aiguilles de pins marins sur les chemins que nous empruntions au petit matin à Port Say. Elles craquaient sous nos semelles dans la poussière de sable. Il m'en reste un tel regret. M'est familier aussi Aflou, lieu de ta naissance, où nous avons été accueillis si souvent par les familles encore "sous la tente" dans les années soixante-dix, notre ami Slimane Bédrani qui chantait, près du feu du méchoui, Khelifi Ahmed mais aussi Brassens et Léo Ferré. Ses frères nous contaient les mille et une facéties de leurs tribus nomades, la dureté de la vie des pasteurs dans la steppe... les femmes...

6. Actuellement
Marsa Ben M'hidi.

134

Bensalem Abdelkader Ould Aziz, le père de Behja, bachagha des Béni-Ouassine,
lié au PPA et à l'ALN. Coll. part.

Cette Algérie-là me structure et m'éparpille. Elle est en moi l'autre moi. Celui qui me fait être toujours un peu à côté, en décalage. Ce moi aussi insaisissable que l'Algérie, celui qui s'ancre dans les Algéries multiples, âpres à la soumission, et que, je crois, tes textes scrutent infatigablement. »

19 décembre

Les icônes algériennes d'Alain Vircondelet dans le Gers, gravures de femmes d'Alger, odalisques de Matisse.

La voix d'Alain Vircondelet, complice à distance depuis longtemps et depuis le Gers, la Dordogne de ma mère n'est pas si loin. J'avais lu *Maman la Blanche* (Albin Michel, 1981), hymne à Alger, à la terre-mère algérienne, et *Tant que le jour te portera* (Albin Michel, 1984) surprise par sa ferveur pour ce pays, le mien aussi, que j'ai, un temps, oublié. (J'ai repensé au beau texte de Jean Pélégri, *Ma mère l'Algérie*, Actes Sud.) Sur les photos d'il y a vingt ans, moustache noire, cheveux noirs, Alain ressemble à un Kabyle. Pour le recueil *Une enfance algérienne* (Folio, 1999), il avait écrit un hommage à la mère qui l'a fait naître. Je lis aujourd'hui *Alger, d'or et de cendres*, dans *Elles et Eux et l'Algérie*, dirigé par Michel Reynaud (Tirésias, 2004), l'eau, le feu, la lumière… il dit tout cela et le FLN, l'OAS, les larmes pour toujours. J'apprends que sa grand-mère, comme celle de Khedija Seddiki à El Bayadh, comme Juliette Grandgury à Aflou, la mère de Marie-Louise à Hennaya, la mère de Julien à Nédroma, a soigné des Algériens du « bled » et mis au monde les enfants des mechtas du Constantinois. Alain parle de « l'histoire secrète, obscure et sublime » de ceux que l'Histoire a séparés.

Cette après-midi de dimanche, à l'heure où on commence à s'ennuyer un peu, Alain me parle de gravures de femmes d'Alger et de dessins d'odalisques par Matisse. Il ne le voit pas mais je suis prise d'un léger tremblement comme si j'avais moi-même découvert ses Algériennes dans sa maison du Gers. Il me les montrera en janvier 2005, elles me plairont, je n'en doute pas, ses icônes seront dans mon *Journal* en belle page.

21 décembre

Georges Malbrunot et Christian Chesnot libérés. La solidarité en France a eu des effets, peut-être aussi une rançon versée aux ravisseurs ?

Georges Malbrunot et Christian Chesnot ont été libérés après Mohamed Al-Joundi, retrouvé par les soldats américains, durement interrogé et relâché pieds nus, sans papiers. Saura-t-on pourquoi et par qui exactement ils ont été pris en otage ? La diplomatie française, *Reporters sans Frontières* grâce à la pugnacité de Robert Mesnard, les musulmans de France ont œuvré à ce dénouement heureux. Peut-être aussi une rançon ?

23 décembre

Malika, belle et rebelle. Roman familial.

Je vais voir Malika dans sa maison de l'Essonne. Malika, belle et rebelle. Sa véhémence contre l'injustice et la servitude volontaire ne s'est pas émoussée. Je l'ai rencontrée il y a vingt ans, elle avait vingt ans. Elle avait entendu parler de *Shérazade, brune, frisée, les yeux verts*. Aujourd'hui comme cette après-midi-là au *Sélect*, ses yeux sont à l'orage, noirs avec des éclairs, lorsqu'elle parle de son père, un tyran domestique, patriarcal, violent.

Le roman familial. Polygame en Algérie, le père enlève Malika et son frère, quitte l'Algérie pour la France où il s'installe avec sa femme et quatre de ses enfants. Il en aura encore quatre. C'est lui qui touche les allocations familiales. Malika se rappelle les vêtements et les chaussures de la Croix-Rouge. Le père travaille dans la voirie jusqu'à son

Malika, 2000.
Coll. part.

invalidité. En Algérie il a été maître coranique. Il veut que ses enfants sachent l'arabe. Malika et sa demi-sœur presque jumelle apprennent l'alphabet arabe, quelques versets du Coran. Le père leur enseigne la langue de leur mère avec des coups et des cris. Il fera le pèlerinage à la Mecque, en bon musulman. L'arabe que Malika a parlé jusqu'à l'âge de l'enlèvement, cinq ans et demi, elle l'a oublié. Elle n'a pas oublié sa grand-mère, la seule personne de « là-bas » dont elle parle avec tendresse. Sa grand-mère l'a aimée. Malika sent encore l'odeur du tissu de ses robes. Lorsqu'elle regardait une photo de sa petite-fille de France, l'aïeule pleurait. Malika a revu sa mère, elles n'ont pas parlé. Elles n'ont pas trouvé la langue. Près de Mostaganem, elles ont habité une « maison de colon » après l'indépendance. Dans la chambre il y avait une magnifique armoire avec une grande glace. La mère de Malika, la troisième co-épouse, a eu l'audace de divorcer. « C'était une rebelle, elle ne s'est pas laissé faire, mon père la battait. Je sais par ma sœur aînée qu'elle a fait le maquis avec un moudjahid, son mari avant mon père. Il a été tué et ma mère arrêtée et torturée, à l'électricité, c'est ce que m'a dit ma sœur aînée. Veuve de Chahid, elle a touché une pension, je crois, et le FLN lui a trouvé un mari, mon père, il avait déjà deux femmes et des enfants. » La mère a fait des démarches pour retrouver ses enfants, un fils vit avec elle en Algérie. Malika est restée en France dans la maison de son père invalide. « L'enfer. C'était déjà l'enfer avec mon père et les frères aînés qui nous surveillaient ma sœur et moi. L'un de mes frères nous traitait de "sales françaises" parce qu'on voulait faire des études, on obéissait pas, on voulait pas se marier, on était pas de leur clan… Mais là, mon père à la maison, il nous surveillait jusque dans nos chambres. Il nous parlait en arabe, on répondait en français. Il nous battait. On faisait la grève de la parole, pas seulement l'arabe, on vivait à côté, à part, dans la maison, on mangeait pas leur couscous, on parlait pas leur langue... ça le rendait fou. Les coups, encore les coups. Mon père m'a toujours fait peur, grand et fort, ses yeux verts, il me terrorisait, il souriait jamais, on le trouvait beau, moi non. Des cousins, des oncles du bled venaient à la maison pour ma sœur et moi. On cherchait à nous marier, on voulait qu'on arrête l'école. La famille, les hommes restaient trois jours, on sortait pas de notre chambre, la mère de ma sœur nous suppliait, c'était la honte pour eux. On leur a dit au revoir en robe de chambre, négligées, mal coiffées. Mon père nous a battues et, quand il nous a demandé des photos d'identité pour les passeports, on a compris, on a dit non. On a reçu des coups, les derniers, j'ai dit "c'est fini les coups". Avec ma sœur on a fugué. Des assistantes sociales nous ont aidées. On a pu passer le bac mais on vivait en alerte, toujours. J'ai fait des petits boulots, j'ai trouvé un travail dans le social, mais j'allais mal, je vivais ici ou là, j'étais paumée. Françoise m'a sauvée. Françoise, c'est mon miracle. Si Dieu existe, c'est pace que Françoise existe. Je l'ai connue, j'avais huit ans. À l'école, la guerre d'Algérie n'était pas loin, la directrice pied-noire nous maltraitait ma sœur et moi au lieu de nous protéger contre les élèves qui nous insultaient ("tu sens mauvais", "sale Arabe", "tu as des poux", "tu es sale"). Partout des gens qui nous aimaient pas. Les garçons nous jetaient des cailloux au square en criant "sales Arabes". Un jour, une femme blonde, les yeux bleus, m'a défendue, elle m'a emmenée chez elle (depuis j'aime les livres, y en avait partout), m'a donné à goûter. Je lui ai dit : "Vous aimez les Arabes ?" Elle m'a dit : "J'aime tout le monde." C'est mon ange gardien. Elle s'occupait de nos devoirs, elle allait voir nos institutrices. Françoise a toujours été là pour moi. Je la vois toujours. Avec ma sœur, on n'est pas revenues à la maison mais on avait des nouvelles des petits. On a su que mon père était violent avec notre jeune frère. On a décidé (on était très très déterminées toutes les deux, soudées) d'aller chercher la mère de ma sœur et ses enfants. Tout s'est passé très vite. Quand mon père est rentré, la télé marchait encore… On les a cachés, on a alerté les assistantes sociales, on a fait les démarches pour le divorce, ma mère (je dis ma mère même si c'est pas ma mère, elle a été gentille avec moi, si elle avait pas été si soumise et craintive…) a récupéré les allocations familiales. Dans le bureau de la juge, pour la confrontation, mon père m'insultait en arabe. La juge a ordonné une enquête. Mon père a pris peur, il a quitté la France. Je ne l'ai plus revu. Il s'est remarié, il a eu des enfants. J'ai appris sa mort. Ça m'a rien fait. »

Malika me montre des photos de son mariage. Sa fille est « fille d'honneur », Françoise est là. Malika a des amies qui s'initient au bouddhisme. Lorsqu'elle me raccompagne a la gare, elle me dit : « Je trouve que Dieu, les religions, tout ça, c'est trop humain, je crois à des forces supérieures, inaccessibles… »

Nombreux sont les jeunes révoltés des années 80 qui ont découvert le soufisme. Farida, la pasionaria des marches des Beurs, s'est convertie au soufisme. Je l'ai appris il y a peu. Je voulais la revoir, personne pour me donner de ses nouvelles, dix années durant, jusqu'à cette nouvelle nouvelle.

26 décembre, 10 heures

Le Bouquet d'Alésia. *Un* chibani *et le poète arabe Adonis.*

Des vieux, des vieilles, des immigrés.

Au comptoir de la brasserie *Le Bouquet d'Alésia* (le seul café ouvert entre Saint-Jacques et l'avenue d'Orléans), un *chibani* boit un grand café au lait. En habits du dimanche, cravate, montre clinquante, toque peluche en forme de calot avec un rebord épais, il fume des *Gitanes*. Un despote familial ? Un père bienveillant ? Un invalide aigri et cruel ? Un homme désespéré, mélancolique ? Je le regarde en lisant la légende du poète arabe Adonis dans *Libération* (samedi 25 et dimanche 26 décembre 2004). Fils de paysan, il ne va pas à l'école mais il récite un poème au président syrien qui exauce son vœu, « aller à l'école ». Un poète est né, le poète Adonis. Vénus Khoury-Ghata traduit des poèmes d'Adonis (pour le Mercure de France, 2005) et publie un nouveau recueil de poèmes (aux éditions Almar, 2005).

31 décembre
Nice, Vichy, Hyères.

Nice. Avec ma mère et ma sœur Lysel, Cimiez. Pour Matisse, ses dessins, son odalisque. J'ai oublié le nom de la rue mais je suis sûre d'avoir vu une villa mauresque. Elle n'est pas bleue comme la villa de Vichy ou la villa de Hyères. Juste une petite coupole sur la terrasse, avec un moucharabieh bleu tunisien.

Ma mère me donne des cahiers de ses élèves (les meilleures) de l'école de la Cité musulmane à Blida, dans les années 50.

5 janvier 2005
Paris, la jeune caissière de Franprix.

Pour les dernières pages, je vais chez Catherine, rue Sarrette. Des courses à *Franprix*. La jeune caissière a des yeux verts, je les vois lorsqu'elle lève son visage vers moi : « Dix euros. » Pas de cliente impatiente, je suis seule. Une peau cannelle, des cheveux tirés en chignon, une boucle blonde échappée au geste sévère. Elle me regarde. Je lui dis : « Vous venez d'où ? » « D'Algérie... » Silence. « Pourquoi vous me posez cette question ? » « Parce que vous êtes belle. » « Ah ! » Elle sourit.

Mercredi 18 Février 1959

Vocabulaire

t. b.   Je mets la soupe dans une soupière, le café dans une cafetière, le sucre dans un sucrier, le sel dans une salière, le thé dans une théière, la salade dans un saladier.

Calcul

t. b.

12	2	29	3	18	4	39	5	28	5	28	4
0	6	2	9	2	4	4	7	3	5	0	7

Conjugaison

t. b.   L'heure du repas est proche. Les enfants ont faim. Saliha et Ouiza disposent le couvert. L'une pose les assiettes et les verres, l'autre place les couverts et choisit les serviettes. Elles obéissent à leur maman et sont attentives pour ne rien casser.

Extraits du cahier de Ksiret Fatma-Zohra (cours élémentaire 1, Blida, 1956),
bonne élève de ma mère qui était alors directrice de l'école de filles de la Cité musulmane.

Vendredi 20 Février 1959

Écriture

D D D D D D D D D D D D D D D D D D D D D.
D D D D D D D D D D D D D D D D D D D D D.
Dijon Dijon Dijon Dijon Dijon Dijon.

Calcul

Votre maman a acheté 16 m de galon
pour border un tapis carré,
Combien mesure le côté du tapis ?

t. b.   Solution   Opération
Le côté du tapis mesure :   16 m | 4
16 m : 4 = 4 m   0 | 4 m
      Réponse : 4 m

Élocution

1 Chougna est une chienne gâtée.

7 janvier 2005

La lettre de Nourredine Saadi.

Je reçois ce samedi matin une lettre de Nourredine Saadi qui, le premier, a écrit sur « le père des filles », analysant avec finesse les mots secrets, obscurs, passant du père à sa fille et qui feront advenir l'écrivain. Je me rappelle notre dialogue à propos de *Femmes d'Afrique du Nord, cartes postales, 1885-1930* (avec Jean-Michel Belorgey, Bleu autour, 2002) lors d'un « Maghreb du livres », sa faculté d'aller au plus loin de la mémoire et de faire parler l'intime. Après Alger la blanche et Blanche de *La Maison de lumière* (Albin Michel, 2000), Nourredine publie en 2005 un roman, *Alba* (Éditions de l'aube, France, Éditions Barzakh, Algérie). Avec le manuscrit de sa lettre, j'ai Nourredine à l'image et je l'entends.

Chère Leïla,

Je referme lentement ton "Mes Algéries en France" tentant de retenir ou de deviner encore le visage de toutes tes "sœurs étrangères" (juste oxymore !) déroulé ce lissage de textes, de lieux, tous ces fragments qui se lisent comme si chacun était un roman et j'ai pensé à cette "autre scène" que le Herr Doktor de 19 Bergasse a appellé « la source même du langage, son sens primitif, littéral ». Pardon de forcer la comparaison mais beaucoup de ces figures sont dans notre imaginaire partagé, quelque part dans les sources où nous avons lu, vu ou vécu. Et puisque machinalement je me suis tourné vers ce portrait empunaisé depuis quelques années au-dessus de ma table de travail et que je t'adresse, juste pour que tu le revoies, en te priant de me le renvoyer.

T'en souviens-tu ?

Tu me l'avais envoyé il y a quelques années en carte postale, un support d'échange amical, accompagné de cette phrase : " Pas de légende, on imagine ". Aucune indication en effet sur ce beau visage ni sur l'auteur de la photographie. Nul nom, nul signe pour guider les yeux. Seul ce regard ardent, cet indicible et énigmatique mouvement des lèvres que l'on devine à l'instant où sortit la fumée du cylindre. Certes l'œil averti d'un photographe ou d'un sémiologue de l'image en dirait tant sur ce portrait. Mais que tu l'aies accompagné de ce " on imagine " m'a conduit littéralement à entretenir avec cette inconnue une étrange relation ainsi qu'elle naît (le plus souvent à l'insu de nous-mêmes) avec les personnages que nous croyons inventer quand au fond ils nous viennent de l'obscurité de nous-mêmes.

Toutefois en quête d'un mot, d'une phrase ou d'une image, ce portrait m'a servi de nuage. Il me suffit de croiser les cils sur ce visage et peu à peu, par un mouvement spontané d'associations d'idées, j'entre en "transparence" — tu sais ce procédé (le plus souvent inconscient) par lequel on fait défiler en arrière-plan d'une figure immobile des paysages, des figures, des souvenirs, nos fantômes) — et elle devient elle-même et le transport de mon imaginaire. Je ne sais pourquoi — sans doute mon enfance constantinoise — mais je l'imaginais au début en juive des chara'a au soir de ses noces, pensant très fort à sa nuit rituelle : « Mon Dieu, en quoi cette nuit diffère t'elle de toutes les autres nuits ? » Puis peu à peu elle prit la figure d'une jeune femme de ma jeunesse, une inconnue que j'ai longtemps poursuivie des yeux et qui passait tous les jours à la même heure — midi — devant la Brasserie des Facs, rue Didouche Mourad, à Alger. Ressemblait-elle réellement à ce portrait ? Je ne saurais vraiment le dire. Mais c'est cette association qui me troublait. Au point où elle devint une figure symbolique de l'Algérie. Ses beaux traits en corps géographique. Une terre mentale. Je l'ai

145

transportée en exil, là sous mes yeux, dans un personnage de roman vivant ses derniers moments d'amour et de guerre dans le décor du Marché aux Puces de Saint Ouen qui me rappelle tout — allez savoir pourquoi? — la médina de Constantine. Et je l'ai appellée _Alba_, de cette blanche lumière qui me fascine tous les jours que je la regarde empunaisée au dessus de ma table de travail. Tu comprendras que j'ai de la peine à m'en séparer

Amitié,

U.

4 janvier 2005

PARTIE À REMPLIR PAR LE CORPS.

Nom .... FATOMA

Prénoms .... DEMBÉLÉ

Grade 2e classe 6e Régiment de tirailleurs

Corps 12 7.C en renfort aux armées Sénégalais

N° { 4069 ...... au Corps. — Cl. 1911
Matricule { 2053 ...... au Recrutement ...... Ségou

Mort pour la France le 26 Septembre 1916 à l'hôpital
mixte to*
à S.-Germain en Laye (Seine et Oise)
avis officiel de décès n° H.C Eghter du 26-10-16.
Genre de mort ...... inconnu
Blessures de guerre

Né en 1889 ...... Soudan
à Mégué Bougou ...... Département
Arr. municipal (p' Paris et Lyon), } Cercle de Ségou
à défaut rue et N°.
inconnu à Ségou

Jugement rendu le

par le Tribunal de

acte ou jugement transcrit le

Sans autres mentions.

N° du registre d'état civil ......

101-708-1922. [16434]

Fiche d'un tirailleur sénégalais
enterré au carré militaire de Saint-Germain-en-Laye (lire page 60).

. 88.II7. , le I7 mars I957

$\overline{\overline{II}}$ ompte - rendu

REFERENCE : Annexe à lá N.D.S. 3.455/DMA.3.0P du 3.12.56.

O B J E T : Combat du 2 mars I957 .

I.-SITUATION .

-Lieu Carte de l'Algérie au 50.000éme (type I922) Feuille N° 87.B6-C I7.
    Mechta des ouled Mehenni sur la rive E. de l'Oued Malah en 54I,4-324-3.
    + Projection Aérienne MY 42 B 4,4
- Date le 2.3.57   Heure: I0° H. environ .
- Unité : 5éme Régiment de Spahis Algériens
        3éme Escadron .
II.-CONDITIONS DANS LESQUELLES L'OPERATION A ETE MONTEE

- Mission : nomadisation à l'W de Béni Slimade
-Autorité qui l'a prescrite : Commandant Quartier T A B L A T
- Commandement : Capitaine Commandant le 3éme Escadron
- Composition de l'Unité : 1 P. H. R.
             3Pelotons (réduits) à cheval

-Organisation, Echelonnement
    Conformes à l'articulation
 + Répartition des postes radio
    P.H.R.   1 ANGRC 9   1SCR 300
    Chaque Peloton 1 SCR 300
- Véhicules. La patrouille blindée de l'Escadron, réservée à Béni-Slimane
alertée par estafette, s'est portée au combat prendre au plus près l'ad-
wersaire à revers S.E. des Ouled Mehenni.
- Surveillance aérienne.

.../...

Compte-rendu des circonstances de la mort au combat du 2 mars 1957
de spahis algériens, dont Jacques Lugand (lire page 60).

Piper sur la R.N. 18 en mission de surveillance de convois à proximité des lieux de combat a du aider à l'alerte.
- Ordres donnés par le Capitaine Commandant.
    Reconnaissance par pelotons sur l'Oued Malah.
    Pointes sur la rive W. pour y assurer leur sécurité.
        1er Peloton   MY 42 D 7
        2ème Peloton   MY 42 B 6
        3ème Peloton   MY 42 A 4
    Capitaine Commandant au centre du dispositif dans le sillage du 2è Peloton.
        Nomadisation dans les mechtas sur la rive E. Présence auprès des habitants contact, contrôles;propagande, par tracts, action psychologique.
        + Radio   S.C.R. 300
            Capitaine Commandant écoute permanente
            Pelotons : Vacations d'un quart d'heure toutes les heures pleines.
        En cas de combat; écoute permanente
        ANGRC 9
        . Exploitation normale en liaison avec Quartier
    TABLAT et postes du 5ème R.T.A. du Sous-Quartier de Béni Slimane.
- Précautions.
    Action en sûreté continuelle.

III - Circonstances.
    - Itinéraire - Terrain - Vallonné - Accidenté en arrivant sur l'Oued
                              zones fortement boisées avec quelques coupures
profondes et abruptes.
                          Dans la ligne des mechtas longeant la rive E.
groupes d'habitations fréqemment entourées de bordures de cactus en talus impénétrables.
    - Conditions atmosphériques : Très beau temps.
    - Déroulement de l'ataque
        Par surprise sur le 3ème Peloton. Mise en place d'éléments d'interception des autres pelotons.
    - Dispositifs de l'embuscade.
        Bande rebelle encadrant le peloton fractionnée par mechtas et retranchée derrière les zéribas de cactus.
    - Réactions.
        Le 3ème Peloton; attaqué, s'est porté rapidement s'abriter derrière une crête en vue de se grouper, du combat à pied et de toute suite possible.

                                                              ...•/...

        Le Capitaine Commandant donne l'ordre au 2ème Peloton de se rabattre en appui du 3ème, il s'y porte lui-même avec le P.H.R. Le 1er Peloton, avec lequel les liaisons radio sont à ce moment défec tueuses, rameute au galop de lui-même au bruit du combat.
        Ils se heuteront aux interceptions installées et devront se replier en vue du combat à pied.
    - Alerte Capitaine Commandant alerté par le feu.

Le 3ème Peloton confirme par radio.
Le Capitaine Commandant alerte par radio la 2ème Compagnie du 5ème
B.T.A. à Souk El Arba (S/Qartier de Béni-Slimane) qui assurera le relais
vers le Commandant de Quartier de TABLAT.
-Arrivée des renforts   Terrestres
Les 2° et 4° Cies du 5° B.T.A. (Réserves S/Quattier de BENI SLI-
MANE) accurent à la rescousse environ une heure aprés .

                    Aériens
L'appui aérien a été continuel . D'abord un appareil qui s'est
employé activement contre les H.L.L .rompant le combat puis 4 chasseurs
qui ont harcelé la bande sans répit durant la poursuite en liaison avec
les troupes à terre.

IV.- RENSEIGNEMENTS SUR L'ENNEMI.

- Avant   néant
- pendant
        + nature des agresseurs   Bande de HLL nombreux et fortement armés.
        + nombre   150 environ
      § + armement   Armes individuelles
                                      Garant - Statti - P.M. etc ;;.........
                                  Armes collectives
                                      4 F.M. minimum ;I mitrailleuse de 30 sa
                                      trépied .
        + habillement   Tenue militaire
                                      Trellis - quelques chapeaux de brousse-
                                      Quelques sacs à dos - pataugas.
      + indices de toute nature
                                  Commandement au sifflet - Appels au ralli
                                  ment vers eux-Ennemis manoeuvriers et
                                  oppaotunistes.
- Direction du repli.
      Vallée de l'Oued MALAH en remontant au nord vers l'Oued ISSER.

V.- RESULTATS

- Civils   Tués
              Quelques-uns en nombre indeterminé , au cours du combat en
      raison de leur proximité et par suite des feux d'infanterie.
- Amis

      Tués   F.S.
              I Off.   : Sous lieutenant des ROCHES de CHASSAY Hubert
              I S/Off. : M.D.L. Chef LUGAND Jacques
              2 brigadiers : BARBIER Joseph - VANDECASTELLE René
              4 Spahis : PELLEGRIN Umberto - MOULERES René - GOUPIL Miche
                          LE POLL Bernard

                  F.M.
              I brigadier : HAROURI Houcine
              2 Spahis : SADOUK Sliman - BOUKHECHBA Mohammed

3

Disparu   F.M.

                I S/Off. : M.D.L. Chef SNP MOHAMMED Ben BOUBAKER
- Armes perdues: 5 carabines U.S.
                  2 P.M.
                  I Colt
- chevaux perdus : I5 tués
- Matériels perdus : 5 harnachements
                détruits : I SCR 300 par balle

        - Ennemi
Tués Iére phase   I
      2ème phase 23 dénombrés sur le terrain par l'infanterie..
Blessés   Chiffre inconnu
prisonniers Néant
Armes récupérées   I mitrailleuse de 30 sans trépied
                    2 carabines U.S.
                    I P.M.
    Matériel récupéré I SCR 300
                       I paire de jumelles

VI.- RENSEIGNEMENTS.

        Bande de SI LAKHDAR

VII.- OBSERVATIONS.

        Le poids de l'attaque a été d'autant plus lourd pour l'escadron
que l'insuffi sance de ses effectifs ne lui permettait pas de pouvoi
s'employer rationnellement dans sa réaction q L'effort maximum , com
toujours , avait été fait pour sottir à 3 pelotons mais , quoique le
minimum ait été laissé pour tenir le poste de BENI SLIMAN durant l'
absence , ils n'avaient pû être constitués qu'à l'effectif de 20 en
moyenne . Le 3° peloton ne se présentait qu'à I8 (soit un G.C. et
une escougde de commandement) dont un seul F.M.
        Il ést certain que l'insuffisance de ses moyens ne lui a pas
permis de s'assurer la couverture voulue pour déceler la surprise
ennemie ainsi qu'une puissance de feu qui puisse riposter effêcacem-
ent à l'attaque en force de l'adversaire .
        La tenue au feu des Spahis F.M. a été bonne ; quelques uns se
sont très bien comportés . Celle des F.S. en général appelés et j
jeunes , courageuse . Aprés une première émotion imputable au baptêm
du feu ils ont vite et bien réagi pour reprendre la poursuite aprés
le fegroupement de l'escadron avec un excellent moral.
        Les civils ignorant tout , étaient de connivence évidente avec
les rebelles qui avaient dû passer la nuit chez eux.
        Les chevaux ont été comme toujours excellents et malgré 2 jour
de privations et d'emploi sévères , ils ont tenu le coup comme il es
habituel à ceux de leur race.
        On peut estimer que c'est , enfin la formation aérée de l'
escadron , engagé dans une action de cavaleris type , qui a évité
qu'il soit pris en entier et à la fois sous un feu trés dense de l'
adversaire
                        Le Capitaine Pierre de ROCHEFORT

4

Annexe 3

Jacques DIEU

À

Madame SEBBAR

Comme convenu, je vous adresse quelques minutes de la vie d'Aflou en 1961.

Ce sont des images plus ou moins "dérobées", sans sons, sans couleurs. Je vous adresse en complément des extraits des quelques lignes que j'ai écrites à cette époque.

Djebel Amour

"Défoncée, la piste s'allonge dans les steppes du Douar Oued Mimom Cheraga (ou Cheraba), Douar el Amour... Les paysages désertiques, les montagnes arides, les déserts, les oueds. Des hommes y vivent fiers, le nez fin, les lèvres épaisses, l'œil noir et dur. Ce qui trouble la première fois, c'est le regard. Le regard extraordinairement vif. Comment ces hommes peuvent-ils vivre dans de telles conditions climatiques ? Les chaleurs succèdent au froid qui s'installe pendant plus de quatre mois. La neige est là, dure, glacée, paralysant toute vie pour être remplacée par des nuages de poussières brûlantes...

Cette population autarcique possède quelques troupeaux de moutons et de chèvres qui grignotent, les seules richesses de l'Oued : l'alfa.

Que de courses sur ces pistes tortueuses, accidentées, coupées par instants d'oueds qui se forment, charriant des masses de galets, ils courent, s'évaporent, imbibent le sol, se tarissent et disparaissent dans les dunes. Nous crevons de chaleur, le visage recuit par les vents des Hauts plateaux.

Aucune vie apparente dans ces plaines d'alfa, sauf quelques tentes de feutre, des maisons en terre cuite recouvertes d'herbes séchées, où l'homme cohabite avec l'animal dans une seule pièce, sur un sol de terre battue, où une vieille femme vous offre beignets ou crêpes et le verre de thé...

La gorge sèche, nous marchons pendant des heures, hagards, en silence, le siroco depuis plusieurs jours ne nous quitte pas, il est même rentré dans notre corps, dans notre tête. J'ai l'impression qu'il nous use comme les pierres autour de nous : nous déchire.

Nous entendons un bruit de galop, le bruit s'approche, cadencé... L'homme et le cheval se rapprochent, venus de je ne sais où ? L'homme et le cheval sont devenus plus distincts dans la pénombre. Ils viennent de derrière les montagnes. Le vent s'est affaibli, l'air devient agréable et l'odeur du sable s'amplifie. On se sent bien. L'homme et le cheval s'arrêtent à quelques mètres de nous. Et puis, ... des coups de feu éclatent, résonnent sur les Hauts plateaux. L'homme tombe, immobile, le cheval s'enfuit dans l'ombre. Le bruit des coups de feux roule toujours dans les oueds, dans nos têtes, toujours, toujours...

Maurice et moi soulevons l'homme, nous marchons et nous l'installons dans un véhicule, personne ne vient... Nous le veillons, deux jours et deux nuits. Nous lui parlons.

Nous sommes partis un peu avec lui et lui est resté un peu avec nous...

Je l'ai appelé l'homme du Djebel Amour."

C'était il y a 43 ans.

Jacques Dieu

Le 13 janvier 2005

Courrier de Jacques Dieu à l'auteur (lire page 54).

Remerciements

Nora Aceval, Association nationale pour la gestion des retraites, Jean-Michel Belorgey, Haddek Ben Ferhat, Randja Ben Ferhat, Lyliane Brochin-Bourdais, Francis Cazelle, Olivier Daubard, Jacques Dieu, Malika Di Fellah, Dominique Doan, Joss Dray, Catherine Dupin, Caroline Esnard-Benoit, Conchita Gongora-Hinsinger, Jacques Grémillet, Danièle Hasse-Dubosc, Émile Hinsinger, Mohammed Idali, Nadia Kaci, Anne-Marie Langlois, M. Leverrier, Gilles Messaoudi, Samia Messaoudi, Ali Mobarek, Marie-Louise Najar-Cazelle, Dominique Pignon, Patrice Rötig, Roland Sanchez, Khédija Seddiki, Claude Sellier, Behja Traversac, Dominique Victor-Pujebet, Alain Vircondelet, Pauline Wellhoff, Pierre Zaragozi.

Sauf mentions particulières, les photos et autres documents publiés dans cet ouvrage appartiennent à l'auteur.

Sommaire

Imprimé en France
pour Bleu autour
par l'Imprimerie Chirat
à Saint-Just-la-Pendue (Loire)

Maquette : Pierre Thomas

Dépôt légal
mars 2005

N° d'imprimeur
5087